D0278095

WORDSEARCH
for Happiness

WORDSEARCH
for Happiness

This edition published in 2020 by Arcturus Publishing Limited
26/27 Bickels Yard, 151–153 Bermondsey Street,
London SE1 3HA

Copyright © Arcturus Holdings Limited

All rights reserved. No part of this publication may be reproduced,
stored in a retrieval system, or transmitted, in any form or by any means,
electronic, mechanical, photocopying, recording or otherwise, without
prior written permission in accordance with the provisions of the
Copyright Act 1956 (as amended). Any person or persons who do any
unauthorised act in relation to this publication may be liable to criminal
prosecution and civil claims for damages.

AD007984NT

Printed in the UK

Easy

```
S M L R D E I Z K T G D C
V M A A F F Y F E L R H A
N E O Q I H K B M A Z Z I
A K L O O V E B H U I W N
T A A V T R I T M D X O O
U C M T U H O R N A T K M
R F R S M N S Z T R X Y S
A O O C U L M A O G L S M
L E F R A S E U I C E C W
G C N F C L B B I L A K T
B E I W P L M N N S I H L
A I N M E Y C I U Z G N S
S P I T R H A A F I R D G
I S W S L P L D L N E G T
C X C A R E F R E E A J A
```

BASIC

CALM

CAREFREE

CASUAL

CINCH

GENTLE

GRADUAL

INFORMAL

LIGHT

NATURAL

NO TROUBLE

NOT HARD

PAINLESS

PIECE OF CAKE

SIMPLE

SMOOTH SAILING

SURE BET

TRIVIAL

Birds

```
T A E L G A E X P H Z U I
Y E N V R X G E F E H G L
S J N N O U R I S D T V Z
M C O N E D E O X R T I E
A A E W A X O R A Q Q E K
L P G N L G O G R E B E C
L D I P C B I G K X U Y M
A B P Y I R Z C S Z L P E
R O S N E E O O D G L H Y
D A D G P C V T G C C G E
U C D S W Y P B O N P L R
S U N O J P I P I T F R P
B T N O C L A F Y T O O S
P S V R E V E T L A S O O
A E Y O W A D K C A J K I
```

BUDGERIGAR	MAGPIE
DOVE	MALLARD
EAGLE	OSPREY
FINCH	PIGEON
GANNET	PIPIT
GOOSE	ROBIN
GREBE	ROOK
JACKDAW	SNOWCOCK
KITE	SOOTY FALCON

It's never too late to have a happy childhood.

Tom Robbins

```
Y R O S U L L I S O R E M
R J D P F A N T A S T I C
O N E E Y E P H X K R D G
S B T C R R U O V A A R K
L Y N T G N D M C V R I I
U R E R C U U U K Y T E T
S A V A I N L Q L V I W A
G D N L W O N D E R F U L
E N I Y U F R F T K I V I
Y E I S L A K N N N C T S
F G R H Z T Z E I R I A M
B E V I C V S F K Q A G A
F L W V E T L O B I L Z N
I E X O M E I I H R H G I
H O Y I N L M W B G B V C
```

ARTIFICIAL	MIRACULOUS
EERIE	SPECTRAL
ELFIN	TALISMANIC
FANTASTIC	UNCANNY
FEY	UNREAL
GHOSTLY	WEIRD
ILLUSORY	WITCHING
INVENTED	WIZARDLY
LEGENDARY	WONDERFUL

Moons of Our Solar System

```
B A E H R D F T X T S E I
O K D Q I A O E J C U N X
M C Z E N T R I T O N C C
C E R U I V N L W A A E I
E E L E A M J U G R J L H
N B J R S L O J B O D A M
D R I J H S T S T D H D L
M E N X R W I X S N N U I
L E O A E E O D K A W S T
A A I M P I G N A P L Q C
I D R I E O N P L M Q T K
F Z E O S I R W Y Z D L A
E A P L L I O U K H J V P
Y C Y J O A I L E D R O C
Q E H K D J R Y O I G T Q
```

ARIEL	JANUS
ATLAS	JULIET
CORDELIA	KALYKE
CRESSIDA	LEDA
DEIMOS	LUNA
ENCELADUS	NEREID
EUROPA	PANDORA
FORNJOT	RHEA
HYPERION	TRITON

National Emblems

```
M S U E G V L W E N S S T
M D S U E E C L D N U Q X
F O Q I L N E M Y O N K E
R T N T E P T I N P T J V
I U S J H W R F I H P N P
Q A C A M E L A R K D O Y
C A N G M L V E H E T P P
J T G U R A E Y D V U Z S
G O D A D C L A O E L R Q
H O C R R A H L N Y I M M
O Z D O T L F I B T P M V
F L W L I L G N O C L A F
R N I A L X E D M D D Z N
S N I V E U G E N T I A N
G W C I E X B N K H M O Z
```

BULLDOG	JAGUAR
CAMEL	LEEK
CASTLE	LINDEN
DAHLIA	LLAMA
EDELWEISS	OLIVE
ELEPHANT	POPPY
FALCON	ROSE
GENTIAN	THREE CROWNS
HARP	TULIP

High Altitude Towns
and Cities

```
E A T O S I S O T O P J U
Z B N X Q S E G G G N U Q
A U J K M L L B E J U F P
P A C H U C A D E S O T O
A C B U U B I F D K Z U T
L K Q S E K P O Z I S N B
S L C A P N I T S V D J W
N O R H X L C L Q D U A E
U C G C O C H A B A M B A
T Q M A A T T L O A L P T
I W C O M I M E G R O Z U
P T H S A O H J O J G T L
G A B A C A S C T B V X C
A S A H L K I O A N B B A
E F D K P P Y L Z W V P N
```

BOGOTA	LHASA
CHIA	PACHUCA DE SOTO
COCHABAMBA	POTOSI
CUENCA	PUNO
CUSCO	SACABA
EL ALTO	SOACHA
GOLMUD	SOGAMOSO
IPIALES	TULCAN
LA PAZ	TUNJA

Starting "SUN"

```
R E W O L F N U S W H D S
N S S U A Z S U N R E U U
S U U Z I U X U K N N A N
U D N N D T S U N S E T E
N S D U N A U A U S I Z K
D U E S U N T N E E U K O
R N W U S N K S U L A I R
E B E N U E S S S N K Y T
N E D S N A U U Z U C A S
C A R R L W P N N S E D N
H M S G A S O F U D D N U
E H N U S W U D S M N U S
D U P A N V N U N Y U S T
S W O B N U S U O U S D H
G O D N U S M T S K S U N
```

SUN DECK	SUNFLOWER
SUN DOG	SUNGLASSES
SUNBEAM	SUNKEN
SUNBOW	SUNLESS
SUNDAY	SUNSET
SUNDEW	SUNSTROKE
SUNDIAL	SUNSUIT
SUNDOWN	SUNTANNED
SUN-DRENCHED	SUNWARD

Hands

```
P M G L Y P Y Q S R G T Z
B R V W A A P W U A P H F
O I I L K Z R G P N U G N
R G M N S I U N R E N I B
Q S G H T F W I A H C R L
S K N I S S P H C T H W H
J L N U I I F S A K I W M
A G I U R Q M A T S N F E
Y H L A W A R W E I G M J
W A V I N G S L M G G X I
L O Q U U P C T K I E I X
E B A D G I O O S L O O D
F L B Y T Q S N L I Q V X
T T H U M B S O N U F N C
Q U C B A Z P Y I B P P F
```

CUTICLES	PRINTS
DIGITS	PUNCHING
FISTS	RIGHT
LEFT	THENAR
MANUAL	THUMBS
METACARPUS	WASHING
NAILS	WAVING
PALMS	WRISTS
POLLEX	WRITING

Dams

```
R A F C C I E O M V K U J
O U H M A N G L A C I X J
F V S M O J W P D A E R M
N V D Z P W L I H Q V O S
G D Z E R S D R H B H S I
R U U A R U C I L A Q E C
L O U D F A A B L T S L U
P P E O E N R E H B Z E A
O M A F G R A T C P F N O
T T E T L U I V F M H D G
Y M A D A R B N L I W K I
P K N K O T M U E I W M O
S A E B A K U N P R S S A
Y W T A Y T T R L U X A H
X B U I Y I I I K P K M E
```

ALICURA	MOHALE
ATATURK	OAHE
BAKUN	PATI
BEAS	PUBUGOU
DERINER	ROSELEND
ITUMBIARA	SILVAN
KIEV	SWIFT
LUZZONE	TABQA
MANGLA	TAKATO

Operas

```
A X S I G Y H A L C I N A
L L I D F I D E L I O V L
U W A O T I A L E M E S S
L F H M A R I O D A N T E
E H T E B C A M N O R M A
E U T N L Q A C U H T L I
D R P E D R N M P G X N X
E L G O T B I U H M A A O
M Y E K P O I E L T Y D C
G E E S T A W C I U M N C
T L M E R W T R F C L E U
E F L O F E U O W D J K B
O L D E L P S T S H P A A
O C D N I A N P O C K M N
V E L E M E S S F T A G J
```

AIDA	MEDEE
ALCINA	NABUCCO
ARIODANTE	NORMA
ELEKTRA	OTELLO
FIDELIO	SALOME
I PURITANI	SEMELE
IDOMENEO	SERSE
LULU	THAIS
MACBETH	TOSCA

Rivers of the USA

```
O U Q A T G A Z S A Z D B
V M L D L O S C I O T O I
P I L R A E P C D F H E Y
G V N M S C F W F W C E X
J F I K L R E B M U L M A
S A T I L L A F V L D U G
Q Z N G C O O S A U A A Y
V C P Q G E G V A Q C M H
H U R O N O T E E Q I F V
X V X W T R S N U K M W B
S R T R A O P M O H A W K
R S B G R W J V R S R N N
K O Y U K U K H F N R X S
U T A C A I K B A P O A A
Y I P Y W K A T A O N T C
```

CARSON	MOHAWK
CIMARRON	NOATAK
CLINCH	PEARL
COOSA	ROSEAU
GILA	SALT
HURON	SATILLA
KOYUKUK	SCIOTO
LUMBER	SNAKE
MAUMEE	TYGART VALLEY

Museum Piece

```
R  S  T  R  V  U  C  E  N  R  Y  S  L
O  K  Y  T  O  A  N  C  I  E  N  T  C
D  O  F  U  R  M  U  S  D  D  L  N  R
U  O  O  V  S  S  A  L  A  X  S  E  Y
T  B  I  Q  C  N  B  N  T  C  N  M  W
P  N  Q  I  R  I  B  F  H  S  M  U  I
G  Z  L  P  O  N  A  O  F  U  Y  C  V
J  E  N  W  L  Q  O  S  M  T  W  O  X
R  H  Z  M  L  L  F  I  O  V  Z  D  H
D  R  G  A  T  E  O  C  T  M  R  C  R
T  I  S  R  Z  C  S  S  P  A  B  I  B
Q  K  I  J  X  Q  S  X  Q  S  N  O  L
Y  P  E  G  A  T  I  R  E  H  N  O  C
C  A  S  E  S  O  L  K  E  E  R  G  D
Z  E  N  B  T  T  S  B  S  M  S  V  M
```

ANCIENT	HERITAGE
BONES	MOSAIC
BOOKS	MUMMY
CARVING	RELICS
CASES	ROMAN
DOCUMENTS	SCHOOL TRIP
DONATION	SCROLL
FOSSILS	TUDOR
GREEK	VAULTS

```
H Y D N U L Y E N K R O Q
E A C O L O N S A Y N W H
I R Y Y U N B Q R T G N R
K U G L U R S B R M S T E
S J G N I K A A A Y H R H
S A V R I N T O R G L A Y
T Q N B Z D G Y I K R M R
M S D D F D F W D J P S B
A N S K A Y F U U W Y E I
R M A N Y O C T R E N Y P
T I R E E G K V H Z D G J
I O I L S V G T H L E C E
N T S A Y R R O J N K Y H
S I C I K O E J K S K H I
Z Y E V N A C M E S F W A
```

ARRAN	MERSEA
BRYHER	NORTHEY
CANVEY	ORKNEY
COLONSAY	RAMSEY
FURZEY	SANDA
HAYLING	SARK
ISLE OF WIGHT	SKYE
JURA	ST MARTIN'S
LUNDY	TIREE

"G" Words

```
G E S C G E T I U O L Y G
K O W E B M E S T E D F B
G G S G S C O G R R N D I
E A B T Y S E O C A G G R
P G A B G S E G R C E W B
C N U F L A G D U G M G M
G U I N E A M B D R Q A M
H G G Y P S Y U R O U T M
F E H G B O U D T G G S Z
E G O I R I W G U N Y E A
I U F G N F R D Z A R U G
R T L Z G E G X E N G G L
G T G G B D C Y E R G G O
A E M E T K O G I Z Z I V
G R S S L A O G U G F Y E
```

GAMUT	GREBE
GAUDY	GRIEF
GEARS	GROOM
GENRE	GUEST
GLOVE	GUINEA
GLUE	GUNPOWDER
GNATS	GURU
GOALS	GUTTER
GODDESSES	GYPSY

Flowery Girls' Names

```
R F A I N N I Z O Y I L A
T W F R W R E T A S E Y H
S H E P Y E X M E R X Q J
C F J S H D J H R L Y D D
K H A A U N R O A R O L F
H G S D Q E S U E T V I A
E S M I K V M I Q E E L V
M B I V S A E B S Q R Y H
I B N A Q L J Q Y L O T O
C R E D V F M S L P N X L
G R I L U B F J E I I R L
S X Q S T K N U C W C X Y
N H V T S R I A I Y A S H
S G N I T V Y O C S H W N
H F G U Y H G M P R S U U
```

CICELY	LAVENDER
DAVIDA	LILY
FERN	MAY
FLORA	MYRTLE
HOLLY	SAGE
HYACINTH	SORREL
IRIS	VERONICA
IVY	VIOLET
JASMINE	ZINNIA

Each moment of a
happy lover's hour is
worth an age of dull
and common life.

Aphra Behn

Sixties Musicians

```
K P V T H F U E M J Y V U
M M J F Q E W L I C H E R
O N A V O N O D U L N Y F
N S A M M U E N F L L Q Z
K B S E M E R P U S L I I
E A R L O G U T H R I E M
E L V A E E A C O P P C O
S X V N T N Q Y B P A U O
S K N I K E A T O O S H D
A I U E S P S N S G W M Y
N K K Z U I T M I E V K B
T I V H Y T O X H M J E L
A D K Q J N M T U C A B U
N E A I D E E S Q Z T L E
A E W S O Y L U O Q P U S
```

ANIMALS	LULU
ARLO GUTHRIE	MELANIE
CHER	MILLIE
DONOVAN	MONKEES
ELVIS	MOODY BLUES
FOUR TOPS	OSMONDS
GENE PITNEY	SANTANA
KIKI DEE	SUPREMES
KINKS	THE WHO

```
U G C S V T I L E D D Z W
E N A I O R U K A K A W R
I D I F F E R E N C E S C
O M L Z N B C T R X Y O S
D Z A U B U E O R H D E M
D X U G G S S J C E Z S Y
O Q K D I T Q I S A H T B
N N O H I N T S M U S O V
E U D C J P A D B S U R E
O M U U Y X G T B E G Y V
U B S R G Z H O I T A W D
T E C R I D D L E O B O O
V R I Q D S M R O U N R I
Z D L Y C I G O L Q S D Y
S S Q H R U H W I H Z O D
```

ACROSTIC	NUMBER
CODES	ODD ONE OUT
CRYPTIC	QUOTES
DIFFERENCES	REBUS
GRIDS	RIDDLE
IMAGINATION	STORYWORD
KAKURO	SUDOKU
LOGIC	SUMS
MAZES	TILED

Photography

```
S R Z S P Y X L S N F G O
R H Z N N V S F I E M S L
C C U C D E B N B E P E T
A M M T I X L U A Q A I R
S S F L T D K M L P X T A
S S E I E E Q B O B S S N
E Q E K S P R E T O P J S
T B C N N J R R N A Z C P
T H X A I R N I N L R O A
E F I L M N J N N Z E C R
O F J P R E I O E T N X E
B L T R R N R A Z G O T N
O A B I G G Z A R Z T Q C
R R L S S U N L I G H T Y
M E F M M A I F F J W C Z
```

BULB	PRINT
CAMERA	PRISM
CASSETTE	SEPIA
FILM	SHUTTER
FLARE	SNAPS
F-NUMBER	SUNLIGHT
GRAININESS	TONER
INSET	TRANSPARENCY
PANNING	ZOOM LENS

Starting "CON"

```
H C O N E C O N V I C T X
C M O Z C W F S W O K J E
P C S N E O S J N H D U V
C E O W S E N T Q C Y T N
O C N N R I R G O N R C O
N T O G Y I S N O O O O C
F U N N T Z C T K C T N O
U O T E S E T N U G A S N
C O N G R P V O T C V O C
I X E T E R I C C O R M E
U W I C M P U R J N E M I
S N N S T N O C E T S E T
A O C O N S I G N R N L D
C T C A R T N O C O O O S
C O N K U N O C R L C Q C
```

CONCEIT	CONSIGN
CONCEPT	CONSIST
CONCERTINA	CONSOMME
CONCH	CONSPIRE
CONCURRENT	CONTRACT
CONFUCIUS	CONTRITE
CONGO	CONTROL
CONGRESS	CONVEX
CONSERVATORY	CONVICT

Pets

```
C C P Q M E M P T E Z M T
A U O A Z K I M J T T E A
N R A U R E L N E V X S C
A E A E M R R S P K D O T
R H W T L E O E L D F O S
Y Q B W D M S T S P D G C
C O A I R I G C L U O E R
O L P A O K O B C A O C S
C S M T N T L K T Y N M G
K U R V V E D D O N K E Y
A O L R V R F M N O P S V
T Z L K L R I R E S R O H
I Q Q H G E S C O K M U S
E N F O R F H Q D G X B E
L Q D P D A Y V E T W A J
```

CANARY	GOLDFISH
CAT	GOOSE
COCKATIEL	HORSE
DOG	MARMOSET
DONKEY	MOUSE
DUCK	PARROT
FERRET	RAT
FROG	SPIDER
GOAT	TORTOISE

Six-letter Words

```
D R E T S I S M O G S W H
E Y S I N E T T O R C V U
T L Y E B E J F J E R Q S
T Z K O Y L T S O M E B S
U O C Y P O L A J A E H E
J R R K T L D R B R N J I
Y S K Q W M A E E K W P Z
C A C N U R X C Q D O H E
Q I D R E E A R E L N J D
D P O N M C M N E D G A A
E U G U O B Y P G O F B S
Q W O M D M M Z A E C I W
J T M K R O Z T O M R A M
P I E J C N O I T C A Q F
T R U G V C N K E M Y O G
```

ACTION	QUORUM
COMMIT	RANGER
COMPEL	REMARK
JALOPY	ROTTEN
JUTTED	SANDER
MARMOT	SCREEN
MONDAY	SEIZED
MOSTLY	SISTER
PLACED	TORQUE

Tunnels

```
I H E D O F M X H Y D T J
M D A G D A K E I W M N R
V M I Q O T R O P M O S X
S H I N K A N M O N U Z D
K O N A K M L A Q U N V H
J A A K O A C N Z T T A A
F G K H R Y A I N S M G R
D R I U P I M E R B A L U
X E E R T I N R E F C I N
U B S J H O A E U H D A A
J L O S U Y S V A W O F W
T R I D D S A N T C N H V
J A W P R L N M B N A L U
D M T I Q E E E X B L M O
E H Y G L H A K K O D A N
```

ARLBERG	KAKUTO
CHANNEL	MOUNT MACDONALD
DAISHIMIZU	ROKKO
ENASAN	SEIKAN
FREJUS	SHIN-KANMON
HAKKODA	SOMPORT
HARUNA	TAUERN
HIGO	VAGLIA
IIYAMA	VEREINA

Agree

```
J P E C S E I U Q C A O X
F A U G E T O N W I T H K
C I Z T E F E O D S A D K
T K T E N L Y N X Z N D R
E T M T T E L D Y O E R Z
V U D T O D S T P G T O Y
E W E O C G C S A V Y C C
S S A I T O E G A H F C Q
R I O V N R N T R Y I A E
O N U C R E F T H E T H P
D K E O B W Y N R E A E H
N D C M C I S N C A R K C
E J S P E Z Q U L M C B T
S O T L J D E T I H C T A
G C D Y O U N T R T U M M
```

ACCORD	FIT TOGETHER
ACQUIESCE	GET ON WITH
ASSENT	MATCH
COMPLY	MEET
CONCEDE	PERMIT
CONTRACT	RATIFY
CORRESPOND	SETTLE
ENDORSE	SUIT
ENGAGE	YIELD

Ironing

```
M E R O H C A S E M A R U
O H P K S N S T A N D D G
N P Y R E L H M J I S P M
C C L N E S O T A V D A G
E L I E Z S C O F E T E Y
I L O F A A S O W E S N C
C W E T A T T U R L T O O
A U I Z H C S I R C T T N
J I F F W E A N U E H T T
S R F F P L S O Y L L O R
T W A Z S Y N L R A Y C O
E U J L D F R Y V N R M L
A R G R L B F N E U K P O
M T O E W O R T C K F F S
C C R U X Y C I F K I K K
```

CHORE	NYLON
CLOTHES	PLEATS
COLLAR	PRESSURE
CONTROL	SCORCH
CORD	SEAMS
COTTON	SPRAY
CUFFS	STAND
LINEN	STEAM
MATERIAL	WOOL

Musical Instruments

```
P L A G H A B X V E D M B
D E E J Y B I I S M L V E
R F M E N Z O I Z Z E R N
O I P Z T L S X T M S R S
H F T R I A N G L E O E E
C L R N S T X B M H P S T
I W L E E M H I L I T S E
S U I E O L H E P G U R G
P B T J B C G N R I Y R N
R A U J O U A O W L Z Z O
A S B N L P I A N O T R G
H S A F Y D I Q T O I F U
W O S O L L E C T A B O R
K O U K A F A R E L D P E
J N E N O H P A S U O S H
```

BASSOON	OBOE
BELL	PAN PIPES
CELLO	PIANO
CHIMES	SOUSAPHONE
FIFE	TABOR
FLUGELHORN	TRIANGLE
GONG	TUBA
HARPSICHORD	VIOLIN
LYRE	ZITHER

Nocturnal Creatures

```
X Y B A B H S U B G R Z S
P O T C J E G B C I E V X
L G F A Q J D V N L W L X
A N H D O C E L O T A R O
T I M O E T U M K K D K L
Y D Z A L R S A C O N U G
P D Y Z N E D O E A A E E
U X W W R E G I T D P L Y
S U P M C U D Z K P D B A
N V Z O L Z W W Z C E J E
O J Z O L T C M O A R W Y
V T C S O E P W V L V P A
Q E T O Y O C E I V F U B
A E I E P T R A M G X M J
V K S V R C N E T T U A V
```

AYE-AYE	OCELOT
BEAVER	OTTER
BUSHBABY	PLATYPUS
COLUGO	POLECAT
COYOTE	PUMA
DINGO	RED FOX
KOALA	RED PANDA
MANED WOLF	STOAT
MOLE	TIGER

Beer

```
I M T T D Y X I W R H C M
L A G E R E R S A Q T M T
S R N N M K K E F X G I W
F W H B V P E O W M N B H
L E E O A G E G M E E A G
L I R E P R Z R S S R Z C
E E Q M T S R O A V T B J
D Y L U E N H E E T S W C
E B W A O N E S L U U A N
M E L D L R T S G O G R A
S B N D R A G A S T V O E
M K L E L N E A T S I M F
E I S E N K E R U I X A S
M I S A E X D Q F X O U L
A E A Y C I P S Z Z M N O
```

AROMA	LIQUOR
BARREL	MILD
BREWERY	REAL ALE
CASKS	SMOKED
FERMENTATION	SPICY
HARVEST ALE	STOUT
HOPS	STRENGTH
KEGS	SWEETNESS
LAGER	TEMPERATURE

```
E I K C A S D S H A V E R
S Y A E G Y D E F V S L F
E W E O R L R P Y T T C R
S S L O O A D T O H I I A
H E B C O C E V N G H C C
S Y S M O S X Y W I T I S
L T L P V U K A W N W T M
E S U L M V G A P E G Y I
E E A Y I U K H T R N H Y
T D U N P H B U Y I B C A
C S E L A G C E T F N Y R
D O H H U T E Z S N K G A
M O A A N A H G U O W E M
Z T E L J O A F G B O N E
S K A Y S R E V I H S G N
```

BLEAK	HATS
BONFIRE NIGHT	ICICLE
CHILLY	LOGS
COALS	NEW YEAR
COLDS	SCARF
COUGH	SHIVERS
GALES	SKATING
GOOSEBUMPS	SLEET
GUSTY	WINTRY

A mother's happiness
is like a beacon,
lighting up the future
but also reflected on
the past in the guise
of fond memories.

Honoré de Balzac

In the Shed

```
E K A L Y M E E K A R J E
H O S E P I P E B F G G T
R Z V Z Y A T B O N S D O
X E C J U L I R I L W F S
B A D X S C K R E S R B O
V Y V D Y Q T B M S S W E
L S J C A S A E Q T T U R
A A L V M L S C E J V L C
U E W H T R A P A R P S E
F S Q N O A S S E I Z R L
A B A H M T M M A L L E T
W L W C O O M R V O W D A
P A K O K A W O J O C I O
S Z L V H S T E R N D P Y
Z W A E N I W T R F B S T
```

BICYCLE

CREOSOTE

FORK

HAMMER

HOSEPIPE

LADDER

LAWNMOWER

MALLET

PLANT LABELS

RAKE

SACKS

SAWHORSE

SPIDERS

STEP STOOL

STRING

TRESTLE

TROWEL

TWINE

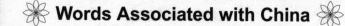

```
Z D G E S K R T T K V K X
U X N S N C A H A V U E E
G N O T A P H O A I W T G
I G O U Z J C O N L C C U
K F U F G N U K W I T H P
U F G N U N Q T N M N U I
G Y E G G M T O E O E P C
N Y R N T H O A U H K I X
E U N F G H O W U A Z R N
S L Q F P S Z C O Q I I E
N Y S Y M Z H L C T M S Q
I C T I R V I U D H W U S
G H C W L N X O I O N O K
P E K O E K N S Z E G T K
P E B K L Z H G Z A D W Q
```

CHAR	KUNG FU
CHOW MEIN	LYCHEE
FENG SHUI	PEKOE
GINSENG	SILK
GUNG-HO	T'AI CHI
KAOLIN	TOFU
KETCHUP	TONG
KOWTOW	TYPHOON
KUMQUAT	ZEN

Opposites

```
Y K R I L G N I K A W Y G
B I D Z M A F T E R C N W
R F H I I A C T N R J O B
A U A H S O Y I Z C L R J
E R P H E T K N T S F I E
N T P L R S A W M R A V K
X H Y X A D G N A A E G G
R E P S B G K I T R W V N
W R G G L B S C O L L C I
B H I S E E C F I J I C P
E L I J D O E F H U T Z E
H Y A T P B S V Q U Q A E
F R F C E R D E R E W O L
K A R Y K C L O S E R X S
D C L A T N O Z I R O H V
```

AFTER	HORIZONTAL
BEFORE	VERTICAL
BLACK	LOWERED
WHITE	RAISED
CLOSER	QUICK
FURTHER	SLOW
DISTANT	SLEEPING
NEARBY	WAKING
HAPPY	
MISERABLE	

Nobel Peace Prize Winners

```
B Z H F F N K L D T K P S
W J H Y E B R V A S E F B
C T P Q U L A L S K L W D
F E D N R B B W K D L L E
T M C G B T I M A C O O Q
K H A I O X N E I J G D V
E I Q R L H J F K R G I G
T H S U N U Y S B S T Z Y
O W E S N M R R X X W T E
B H R G I A A E F Y U M C
O E E S M N O F H T U X G
A B P M D D G U U H Q E O
I P A T Y E L E B J B C H
X H M M L L T K R E I L X
G P D N A A R N I G E B L
```

BEGIN	MANDELA
BRANDT	OBAMA
BUNCHE	PERES
CECIL	RABIN
DAE-JUNG	ROTBLAT
HAMMARSKJOLD	TRIMBLE
HUME	TUTU
KELLOGG	XIAOBO
KISSINGER	YUNUS

Canadian Lakes

```
E F T E R A S J U A K N E
N O G K A P O I N T A A H
A N J B B R E O M P D I U
U T S V I U T Q A Z K D H
L A L A S S F K L D E N O
K R Q I A T T F Q V K I T
O I C L N U C K A S W N T
P O L N L Z E L I L M R A
K O S I I H S M A C O E H
W L K C E T A Y A I Q H J
S E R T A G L P T J R T X
V E Q E J M D E R P C U Z
E Q R D E A Z O U K C O Y
Q G M R P I K Z C N Y S G
Y T K A U J S E B E T F S
```

AMISK	NAPAKTULIK
ATLIN	NUELTIN
AYLMER	ONTARIO
BUFFALO	POINT
CREE	SOUTHERN INDIAN
GREAT SLAVE	ST CLAIR
HOTTAH	TEBESJUAK
KASBA	TEHEK
KLUANE	WOLLASTON

Look

```
R Z W F T B N Y H N Z I I
E P E R U S E R V Q A J R
E V F U O R K W E H B C I
L U I B E I F H P C U N S
O E X G K D R K E G S U K
H W A A A K Y V G P V I U
L R T S M X I Q E V B O D
D P E N Y E L C T Y I Q G
Y W S Z C W T A F N A E T
O A D R H Q S F W N A Z W
Q G E S S V N E W Y E A W
I P L T N S K O Q J R G J
L F U E B K C Z Y B A V N
K D L O H E B S Q P T C B
Y P X C W D O D E C S J B
```

BEHOLD	OGLE
DISCERN	PERCEIVE
FIXATE	PERUSE
GAPE	REGARD
GAWP	SCAN
GAZE	SPY ON
INSPECT	STARE
LEER	STUDY
MAKE OUT	VIEW

Cell Phone

```
S N O I T A S R E V N O C
A G L I M T K L G A M E S
W K H D I N I Q M G G E I
T A E K I G N D P E Z S L
W I R E L E S S Y E I R G
C A C A L L O G G I N G
C E M O C R B X N S I C S
W T L N V O E A W L P Q M
N P E L W E L K L N P F E
P S G X U S R I A L A R M
Q M P P T L B A S E A O O
K A Y C S I A W G B P Z R
K R Y R L S N R C E M S Y
K T P K I J C G P U P O T
W G D E T A N I M U L L I
```

ALARM	ILLUMINATED
BILLING	MEMORY
CALL LOGGING	SIGNAL
CAR KIT	SKINS
CELLULAR	SMART
CONVERSATIONS	SPEAKER
COVERAGE	TEXTING
GAMES	TOP-UP
GPRS	WIRELESS

```
C M L E Q D S X N Z I K D
N A W V S T T D T R E N T
E N V T O B H P E T F S D
D A X U T O C S J M P A F
E I R R K E U L S E L W B
I R P C E O R M Y M U E F
S N J Q T M U R A L N N I
S H G A C S Z C A C E S G
O M E W E N T T M P S U B
L R U M Q D V E Y X R M K
G D A T L S Z Z U T K E Z
M H X L E K J C E Q N I N
T S F I N D H O R N O E P
D O V E Y P I C E K N C S
E Y W H L Y M T Y E P L X
```

CAMLAD   NAIRN

COQUET   NENE

DOVEY   PARRETT

EDEN   SPEY

FINDHORN   STOUR

GREAT OUSE   THAMES

KENNET   TRENT

LOSSIE   WENSUM

LUNE   WYE

London

```
E G Y C L S B A C F E A Y
H R U A B N A H N G A E A
T U O U H R I A D S S S B
S O S S G N I I Q Y T L I
O Q K Q A U R C E E E E G
S O U T H B A N K H N H B
H Q O A R T K R P L D C E
Y W G E R C E A D T A V N
N M W S O E T B D S M N N
T O H C D O M C M M M R E
T T F S N O A I I A U E I
O W M E O M R L L B L D N
X W C N D H R R Y E F B G
W W K E E Y O T A C W O U
P A N D X S T X V H D F V
```

BIG BEN	EROS
BRICK LANE	GUARDSMEN
CABS	HARRODS
CAMDEN	LAMBETH
CENOTAPH	SOHO
CHELSEA	SOUTH BANK
CHINATOWN	SQUARE MILE
COCKNEY	TOWER BRIDGE
EAST END	TYBURN

Types of Building

```
G H R Z U W Q P D X T D S
A L A M E N I C G E I H U
R F Q Q J C I C K W A L M
A D Q I V B V R Y C U Y M
G E X X E Z A R K T G T E
E P Y F P M O T E L U B R
F O R T R E S S U N H M H
J T B E K T G K I A Y Q O
C M P E W L S V C R Y G U
C U A C H O E S A E R F S
S I N N I R T R B O I I E
Z G N K S N B B I O A X F
Y W W I M I A Q Z L D U K
Y T T L L Q O T W G T T D
V Y S A F C G N V I L L A
```

ABBEY	LIBRARY
CINEMA	MANSION
CLINIC	MOTEL
DAIRY	SHACK
DEPOT	SUMMERHOUSE
FORTRESS	SUPERMARKET
GARAGE	TOWER
IGLOO	UNIVERSITY
KIOSK	VILLA

Washing a Car

```
C F G C H M S R O R R I M
N H R S Y J Q I V S Q S X
X Q U B W A T E R L W P M
W R S G Q Q H D E E S R C
B S H M L I N M R E P L L
Z A I A C A O X A H O A E
B E N L R R S O J W N H A
U U E W H D C S D G G Z N
F L C C A H W Y O P E F I
W L K K A X V O O Q F P N
D R I M E M I F R L U V G
H P O G E T F N S K N R J
W I K N H J X A G O I S F
S Y E T V T V W R M A Q F
G C F W J J S Q E Y M P N
```

BRUSH	LIGHTS
BUCKET	MIRRORS
CHAMOIS	SHINE
CHROME	SOAP
CLEANING	SPONGE
DOORS	VEHICLE
GLASS	WATER
GRIME	WAXING
HARD WORK	WHEELS

Ski Resorts

```
G P F N Z U R O A H U K M
S O L D E N T U K V C Y X
T W S G I I W U T X A K V
Q D M A S E H C A L Z R A
N E A H U T I S G S A O S
E R Y M A S L Z O L D G V
T M K I U A G V O V U K P
R O W G C G E B D B A M R
A U S V I D R B N X W D L
G N E M X A A V O R I A Z
F T I U N B G V U H F Q H
P A T D G M P S L G I C M
O I T Y F D A T E P E N Z
H N E H G A T L A L B S J
C R R A U R I S W D N C R
```

ALTA	IGLS
AVORIAZ	ITTER
BAD GASTEIN	KUHTAI
BOHINJ	LECH
BRAND	OTIS
DAVOS	POWDER MOUNTAIN
GALTUR	RAURIS
GOSAU	SOLDEN
HOPFGARTEN	VARS

Richards

```
H C T D U N S R E S G H Y
O V H A I N S W O R T H C
U X J X N Z Y R N Y Y N A
D N O X E W U A O E M I R
N N S C D I T G T K J A T
O O G P D L A D R A A L T
M L N O A S E E U E X R B
M S I G M O T E B L E E M
A V L O T N W H L X V B K
H D W X E I C F X D E M I
F N A P D E H H A R A A O
H X R M T E I X E R Y H S
X A A J S X T G T N F C I
C R T R U O C V W I E N L
K H Z S F V I T H T B Y W
```

ADAMS

BURTON

CARPENTER

CHAMBERLAIN

CHENEY

COURT

EDGAR

GERE

HADLEE

HAINSWORTH

HAMMOND

LEAKEY

MADDEN

NIXON

RAWLINGS

TRACY

WIDMARK

WILSON

Better by far you
should forget and
smile than that you
should remember
and be sad.

Christina Rossetti

Double "F"

```
B F F A V I Q S F F O A V
Y N P F R F W X P F N N Y
O E O E L F F A R F O F X
N F I F W Z U U L F F C M
F Q F F F A T S D U C R S
C F K E G I C P L R L N V
R H F C R F H F S D J C W
Z C A T F I E C F O J F E
C U U U A F N A O O Z C F
Q A B P F F I G F W I V E
U E R A F F F A F F Q A A
R T C D A N E Q F H I I R
B E Q U I F F U J I F F Y
I F F C R F S G R H E I X
Y T I N I F F A D A F F O
```

AFFAIR	JIFFY
AFFINITY	OFFERING
CARDIFF	QUIFF
CHAUFFEUR	RAFFLE
CHIFFON	REBUFF
DUFF	SCOFF
EFFACE	STAFF
EFFECT	SUFFICE
FLUFFY	WOODRUFF

```
D O P O R H T R A W L Y H
Y U S F O M W S F A L S P
E V E N T O E D D A U I V
K U N Y L L G U C O K A L
X W Y L T J A S R W G D H
E N I N A C D A C I Z T A
E M A K A Y P O L B C W E
T M R E N I L E F A L V P
V C R E V O E Q D D L M Y
G D I O N H C A R A B K R
A Q N I B R I D V J T A E
V H A E B H F I D F L E D
I L E K G H B A E U I B I
A N U R A N U Q L S N P P
N L A M B U L A C R A L S
```

ACAUDAL	COLONIAL
ALULAR	EVEN-TOED
AMBULACRAL	FELINE
ANURAN	MANTLE
ARACHNOID	OVIPAROUS
ARTHROPOD	PEDATE
AVIAN	SCALY
BIVALVE	SPIDERY
CANINE	VAGILE

```
A L A S S A M C L U P K H
R E B M A S E P O C A V U
I N I A F L K G C J R V Q
T R A S I R O O D N A T I
L F R N V H X O R Z T V A
A D L T A C T G J M H R S
B S A R D M M A X E A H O
X S O A S H E A P A E C O
V I U M L V A E O E U R L
I C I L A S H N K B V F A
R L A Z U S O K S X M C G
M H S O J B E U R A I T A
P R E D V B C Y P P K R S
J K H R A L O O G O B I P
W K J B S A R D A M N O E
```

ALOO GOBI	PARATHA
ALOO JEERA	PATHIA
BALTI	PHALL
DAAL SOUP	RAITA
DHANSAK	SAG ALOO
KEEMA NAN	SAMBER
KORMA	SAMOSA
MADRAS	SHEEK KEBAB
MASSALA	TANDOORI

Jane Austen

```
M R B Q E G R O E G E S N
R K G N T W Y R S A S H T
S Z O Q O P Z D J I M R E
S R G U D T R K R C S M E
M U E E H O I R G E M M E
I N X H F I O D N L M P Y
T Y J A T N G N N R D T S
H L L J S O A H S A I R E
N E U R A I R C B P S C T
D V M R R M L B O U N J A
K E B A A A E T E A R T Y
X H M Z Y U E S M H H Y R
E S U O H D O O W N T F M
O B O K O T R E G E N C Y
R O N I L E Q G Z T T B T
```

DELAFORD	MRS CLAY
ELINOR	MRS NORRIS
EMMA	MRS SMITH
EVELYN	ODE TO PITY
GEORGE	REGENCY
HIGHBURY	ROMANCE
JAMES	SANDITON
MARIANNE	THE BROTHERS
MR YATES	WOODHOUSE

Hiking Gear

```
R U C K S A C K H Q E G K
P U T O K N Z K E V P W X
A O C I J N S T A A U X E
M K S T K E I S E V O L G
S K L X H D V F W D O E F
V P T C U U I H E P J E G
W A T E R I I A G Z V C L
D A T T G S S N T H A T I
M B F X T X I S C S E G U
V E L L C K S A A K R G I
I G E A L S M T C P X I P
I F S A N E C A O F M W F
D O W O R K J A X O K O K
U O S A X V E J R A B M C
E D O Z D B X T B F I C A
```

BLANKET	KNIFE
BOOTS	MAP
CAMERA	MATCHES
COMPASS	RUCKSACK
FIRST-AID KIT	SCARF
FOOD	SOCKS
GLOVES	WALKING POLE
HAT	WATER
JACKET	WHISTLE

Norse Deities

```
O L L F L N J K Z C W T P
K C J E A N K T T S B C N
K C F Z H N M I P A N J O
U Q R I G E A W O N P T M
R I N D R D Z F K D F I Z
L Z D J J B K R N R T B O
I F J A O N M E P A S A A
H G W Y K R G Y L U T D N
B E Y L A S U A S D V U N
N A X B S P R N D I H H U
F M R A R L L V M G D E S
F T T A R A D L M A T N I
D H P O T G G S D X J N G
P O H B I S V I Y L G A Y
F T R K U A O B B Z X Z N
```

AEGIR	SANDRAUDIGA
BADUHENNA	SIGYN
BEYLA	SKADI
BRAGI	SUNNA
FREYA	TANFANA
HEL	TAPIO
NJORUN	THOR
OSTARA	TIW
RINDR	UKKO

Catch

```
G F A T I H C T I H G F G
A E J R H U C P D R O U N
T R J P S S M O A L L O Z
X W R U U L E S R G O I K
Y Y K E T D P M R N Z H O
C P Y R S W N A N D E L D
K O Y P P T B U Z E V R Q
Q I L A B M H V O G R I P
B X P L E S I R P R U S R
U L O U A O C F D X R X P
P R S M P R Z L D H E P I
G Q U O J A A X U Y O Y B
N L T Y P U N H C T A N S
E N T R A P F S S M C P M
T S P K Q R V H I Z D H O
```

ARREST	HITCH
CLUTCH	HOLD
COLLAR	HOOK
CORNER	NET
ENMESH	ROUND UP
ENTRAP	SNAP UP
GRAB	SNATCH
GRASP	STOP
GRIP	SURPRISE

"U" Words

```
U B R M U T F U U U P G A
U N P E R T U R B E D U I
R K T U E T A M I T L U P
A E H E R U V U U U N L O
S N B E L B L A G U D U T
U Y C M V O R L R E C L U
D H T Q U E I S A U A N I
T N D I T U U V U G F W U
A U T S U H S R A I E U Y
D V L J U Q G R N R N T V
N U S H U E I I S H T I U
A U R A N U S B R T Q L W
G R T T G H U B U P N I U
U F U A E O U M A A U T J
U A Y D R S O C R R B Y U
```

UBIQUITY	UNFINISHED
UGANDA	UNHURT
ULCER	UNPERTURBED
ULLAGE	UPRIGHT
ULNAR	URANUS
ULSTER	URGENT
ULTIMATE	UTILITY
ULTRAVIOLET	UTOPIA
UMBER	UTRECHT

Greek Deities

```
S U S E S X Y O Z E A R S
U D F Z H E A E K G N B A
I A P E T U S L F X A O L
P B C S F H S R D J N A T
A H G A N X A B E N K W A
L Q P R D Y A N P P E B E
U S O E J N A I A G W P Q
C A Z S C O E U S T I Y I
S K R P O L A N H M O Z E
E R H E A S T H E M I S O
A G D F H U P T G Q W L F
K L I G C B H A Q K L Q J
G A L E N E C O H O K K I
G L W T U U B Z P R A H Q
H Z Z S K C Q A S X F H Q
```

AESCULAPIUS	GALENE
ANANKE	HERA
APOLLO	IAPETUS
ARES	NYX
ATLAS	PERSES
COEUS	RHAPSO
EOS	RHEA
EPIMETHEUS	THANATOS
GAIA	THEMIS

Airlines of the World

```
Z S N L U J A Z R O X R V
V Z O K D D A I B A O J B
Z L S Z U G A B A F R S R
F X E R A T R I A N A Y R
W J A C P E D K P T N D Q
D G G Y X N R U N I T E D
A A G P I E S A M E B U T
I E H R N V Q L R Y E Z E
R L I I Q I Y V L A I T J
C A D I T B J F V D N K U
H V A M C E A S T E R N E
I A T A I R B E R L I N F
N R S Y A I A Q V T U Z L
A I E P T A C N T A N P O
I G K J O A T L A M R I A
```

AER ARANN	EUJET
AIR BERLIN	EXCEL
AIR CHINA	FLYBE
AIR INDIA	GARUDA
AIR MALTA	IBERIA
DELTA	QANTAS
EASTERN	RYANAIR
EGYPT AIR	UNITED
ETIHAD	VARIG

Famous Sailors

```
I L W U N Y A E N O Y R T
S N I K W A H K W I J P O
P A R R Y O F A R U A E B
Y V T X O B O R L R A G A
N E F D N E S D N U M A C
O S F H I C O O R O G R H
S P B J O T S E E B R N I
D U H O A S H C A M N N C
U C K C C S E P J P I H H
H C S I I M O W B L G U E
V I R B K Z O N K K R C S
Z E O C B R Z N L S T H T
Y R F A R R A G U T F M E
F L E A P R L T A O C C R
U G B Y F V P I X B E Y E
```

AMUNDSEN	FRANKLIN
BARROW	FROBISHER
CABOT	HAWKINS
CHICHESTER	HOOD
COOK	HUDSON
DRAKE	JASON
ERICSSON	PARRY
FARRAGUT	TRYON
FOX	VESPUCCI

Watches

```
L D S T N Y A V N B B R R
A T B V I L P N T A F J E
T T B P A E A O T S U Q T
S N W X H K T T A M D B A
Y P P X C Y E E I I Z P W
R O R N H R D L E G A R R
C C B I Y G N E L R I I E
U K O R N J A K T E Z D D
T E F Z E G H S M W V I N
Y T U J Y T D S I L Z E U
Q U A R T Z N U R S E S R
L F H O V J O U D T C S D
C A I W Q D C Z H I V L K
Y C Y C I T E N I K A G E
V E A T B L S K K J W L Z
```

BATTERY	~~LEVER~~
CHAIN	NURSE'S
CRYSTAL	POCKET
DIAL	QUARTZ
DIGITAL	SECOND HAND
FACE	SKELETON
FOB	SPRING
HUNTER	STRAP
KINETIC	UNDERWATER

"WINE..."

```
R A N D D I N E M V T J O
K A B T E E H P V D B G R
Y K L C E T A S T I N G L
E E Q L O Z N N B T G W R
B O B R E T N A C E D G G
X M G G C C N A H L I S T
E G D O L T T Q H C L K T
P N V E H G S K S A R U P
P R A I U Z M C E R E E R
G E F M N B G A S V V O M
L V S T S E A R A S R K C
A A B P R E G U B R E A O
S T P Z A Y L A Z H B R H
S K I N B T V A R D Y O P
A V O C P V L T S R K L X
```

AND DINE	MERCHANT
BARS	PRESS
BOX	RACK
CELLAR	SALESMAN
DECANTER	SKIN
GLASS	TASTING
GUMS	TAVERN
LIST	VAULT
LODGE	VINEGAR

Derive happiness in oneself from a good day's work, from illuminating the fog that surrounds us.

Henri Matisse

Liquids

```
P E I S K R B Z D W N F D
I L T L S N O E B L O O D
Y S I H P A A U E D I R V
E M P A T J L N Q R T E K
W N I U C O U I F I O Z N
X N I B N N R I V N L M Y
T K S T F C E B C A S V O
A E X Y N M H Z T E A M O
Y Z C V U E F H C R S R P
X L J F R H P O G T I L M
D P R E V Y L R O J D S A
U E T E I O J C U D U B H
P A Y A G A K K N T V X S
W O M N Z E N I L O S A G
C Q E W W B G Y N Q X M U
```

BEER	MILK
BLOOD	PAINT
BROTH	PERFUME
COLOGNE	PUNCH
GASOLINE	SALIVA
GRAVY	SHAMPOO
JUICE	STOCK
LIQUOR	TURPENTINE
LOTION	WATER

Tribes

```
C W A N E O A C J E P Q J
R K Y Z M Y N E V C I T Y
O S O A A U N E T D T R Q
W E M M N Z M R I E M Q E
U M K E C D B C S D D J A
E I G X E D O N T A A C E
F N J A F K A T U C N N H
Q O N E O G U U P I V X C
G L X B A N L S I I C C N
T E X R K Y A S O K L Q U
O M R E H P U P A C U A C
F A J I O U R A M W C E I
N B O N U Q R L I A M I P
Y J C P V K P O R A W Y M
V A R I M A I M N P W E A
```

CREE	NARRAGANSETT
CROW	ONEIDA
ERIE	PICUNCHE
FOX	PONCA
HURON	SEMINOLE
INCA	TUPI
MAYA	WAMPANOAG
MIAMI	WEA
MICCOSUKEE	WYANDOT

Knitting

```
E X E W K R O W H C T A P
N E L Z P P N B Y O W E P
O L O O P S P S H L U V K
L E H G C I F Q G W O O L
Y F N S C Y Z C T A O S L
N T O O E Y A D J H S E T
P S T G X Z J D T S Q J E
K I T A V W I E R R W A R
E D U U E Z H S P Z H G E
T E B G Y C K F I U Y T M
S K E E O S Q U A R E S H
G O S R E P D L R C E D S
X M C T A E P E R O I L A
L M G K I F Q I X U W N C
C E K N S Y U V U U P S G
```

BUTTONHOLE	PURL
CASHMERE	REPEAT
CROCHET HOOK	ROWS
FACING	SHAWL
GAUGE	SIZES
LEFT SIDE	SOCKS
NYLON	SPOOL
PATCHWORK	SQUARES
PICOT	WOOL

Greek Mythology

```
S X G P Q W S W Q T Y Y Z
N T K V M A E N A D D S Y
O N Y N G R C D D G O U O
S H Y X B G A L D L R E R
A Y X E C U R A I E I H E
J R P R H S G C Q O S P I
A L A A A P P J I H U R D
D H L H O W D B X T E O C
K C L J S W N K K L T T I
D P A N D O R A S B O X R
T Q S C S C M W J T R Z C
I A P E T U S H A O P Y E
V X G P L Z N R Y Y R K K
O K A R T C E L E N F T N
A E D E M X U L E H I H K
```

ARGUS	JASON
CHAOS	MAENAD
CIRCE	MEDEA
CLIO	ORPHEUS
DORIS	PALLAS
ELECTRA	PANDORA'S BOX
ERATO	PROTEUS
GRACES	STYX
IAPETUS	TROJAN WAR

Tropical Fish

```
F Q E A S O T N O R F U S
R E D Z E B R A B K C P E
H G S P I T A R K A O F V
S B C P Z R A H P G G I E
I Y I R L B M D H U P U R
F I S C Y A E Q M P E S U
E M S S H R T Q M P H H M
S A O A K I N Y B Y D A R
I R R S H Y R X B T W R A
D U T H C A O L N W O L C
A O A S X V D D O X R E S
R G I V X P A C J C I Q O
A B L Q U N E U O L J U G
P W Z F I L P R U E X I L
Q W B O P D Y J O Y U N F
```

BICHIR	OSCAR
CLOWN LOACH	PARADISE FISH
CORY	PLATY
DANIO	PLECO
FRONTOSA	RED PACU
GOURAMI	RED ZEBRA
GUPPY	ROSY BARB
HARLEQUIN	SCISSORTAIL
JULIE	SEVERUM

Soccer Match

```
R E L K C A T Q E V F H U
Z B Y I I F H M Y X S X U
N F A T G P O B S P S H D
L L W O L H Z B N G C P S
P L A X R H U N F T R T T
S L H A F E B L I P U A S
S A S B G L G P F D D D D
Q R A E W T I A R A W A V
V M V A V U N A N O N E I
Y S R E L R W O R A S S F
V W M K E F A C C T M L T
Z A B Q A Z X C U J A Z Z
G G N I G N I S S G E M N
Y Z D N U O R G S Y T T B
D B L A E E D I S F F O H
```

AWAY	LEAGUE
CROWDS	MANAGER
DRAW	OFFSIDE
FANS	PITCH
FLAGS	SCARVES
GAME	SINGING
GOALS	TACKLE
GROUND	TEAMS
HOME	TURF

Different Tastes

```
C Y B T N W Y M M U Y D X
I X F J R C W R T A N G Y
T F X M T A I B E X A N G
R S R P V N T N Y P S I Z
U S J U L T A V Z P P R H
S O U Q I H B U I U S E C
C Y J O U T H C Q H X T P
V U F S I G Y R A I I A B
Y G N E A T W R Q W P W B
Y D I F B P P V P E O H O
S I H V G R I M G A Y T Z
D M M H L A C D U T S U S
C L O N O S F O T R E O O
B W I K Z T M U L P C M U
T J W M Y V N T E E W S R
```

CITRUS	SCRUMPTIOUS
FRUITY	SHARP
HOT	SMOKY
MILD	SOUR
MOUTHWATERING	SPICY
NUTTY	SWEET
PEPPERY	TANGY
PIQUANT	TART
SAPID	YUMMY

That's Magic

```
S A N D U T D I L M Q T F
J E R T U N E P J S Z J W
W S Z B A U F U S T I S D
Y R T W A H S T J L Q T X
C U C C P D E S G U Z O O
N C N L H R A J G C G O E
A N O Q C A U C I C D G Z
M G I E S K R E A O N E A
O P S N C Z F M O R J T M
R W U A L T W V W R B S A
C S L L E P S H T V M A L
E B L Z T R I C K E R Y O
N O I T A T N A C N I D C
G F S S E G G P L Y L Q K
G N I R A E P P A S I D S
```

ABRACADABRA	NECROMANCY
AMAZE	OCCULT
BLACK	SECRETS
CHARM	SPELLS
CURSE	STOOGE
DISAPPEARING	TRICKERY
ILLUSION	VOODOO
INCANTATION	WAND
LOCKS	WHITE

Foot

```
N O D N E T G K V T R I S
M E T A T A R S U S C L Q
R I R B T X W Z U U I H C
B C D R I X G U B A V O E
H U X E G R V O N V R N L
Z I N V I C I F D N G S O
D L S I D D B O N E S F S
Y E W L O P D O F U L T E
U V V A E N K R L Z W L Y
X S X T L A X A C E K E A
R U S J O K T T V N E S F
R N L X B L I S A I T J S
I X U L I A E N K X M E O
I W K P A Q R E G Z O C U
U W B V V H H E H T M Q Y
```

ANKLE	HEEL
ARCH	INSTEP
BARE	METATARSUS
BONES	NAILS
BUNION	SOLE
CORN	TALUS
CUBOID	TENDON
DIGIT	TOES
HALLUX	WALKING

Cattle Breeds

```
V S Y L W M G N Y O Y V F
S I I E L O K N A L A N G
I J B M E Y L E I C W O K
A F A L M N N M K U O X Z
L D L U R E O S W C L X B
O N D H K U N G O I L C R
R A E B S R Y T D X A B A
A L R I U C A R A C G F H
H H N J X K E I E L R D M
C G E Z X D E P N I X E A
F I Y M P U E R E I S V N
G H S O K D Q S R B A O X
H O L S T E I N I Y L N I
Z L K H J A Y A W H I T E
H N Q E N A G R U K O Q C
```

ALDERNEY	HOLSTEIN
ANKOLE	KERRY
BRAHMAN	KURGAN
CARACU	LIMOUSIN
CHAROLAIS	LUING
DEVON	RED POLL
FRIESIAN	SIMMENTAL
GALLOWAY	UKRAINIAN
HIGHLAND	WHITE

Starting "OUT"

```
O U T W O B H M E I T U O
E U H U O U T O U T A G E
U E G T O U T G O I N G O
O Z I U S T D U E I Y U W
U I R O U A T D D B T Y H
T S T U N R L L A F T U O
S T U T U O I T I O U T U
T U O N S U R T U W O O T
A O U T B O A R D O U T G
N O U T D O O R M T P Z F
D O U E C R U O S T U O Q
I O U T D A T E D V Z T V
N C T U O D L G O U T P T
G U L M K L E Z Z V S U U
O U T E K A T T U O F M O
```

OUTAGE	OUTLET
OUTBOARD	OUTRIGHT
OUTBUILDING	OUTRUN
OUTDATED	OUTSELL
OUTDOOR	OUTSIZE
OUTFALL	OUTSOLD
OUTFIT	OUTSOURCE
OUTGOING	OUTSTANDING
OUTLAST	OUT-TAKE

Teddy Bear

```
H T G N I G G U H V V C I
S G Y S M B C O B P H V I
U X Y O K K D W T E P R N
L Y L Q R K G T N O T O J
P F D W Y U R U G T T U A
T F N N M E D S N G S W C
C U E G P A X R N D D M B
I L I U S T X I O G M P N
N F R L S C D N N C E C O
C E F A E D A I J L R B T
I A O I A A F R B F K G T
P E X P E F O A F U R T U
B S A N U T V Q C A T E B
H W Y T O O S R I B B O N
S T S N L A N I W Q R F M
```

BUTTON	PAWS
CORDUROY	PICNIC
CUTE	PLUSH
FLUFFY	RIBBON
FRIENDLY	RUPERT
GUND	SCARF
HUGGING	SOOTY
LOVABLE	STEIFF
PADDINGTON	STUFFING

Cats' Names

```
Q P O T R L C H A A R W Y
J P Y E E L J W C L E A K
U A H X T O X I I A P Q F
T V C H S K Q M N N S Y D
V Y J K E I I B N X A Z U
A T O W H M U U S N J G Z
J T Q I C A I C G O I E I
A I F S B A W E X B A O E
B K K B A L L Q O W R R L
B S Y B P O E C R E B G Y
Z S M N N L J M X I L E F
D I F X I Y X X V T X C V
S M L L E B R E K N I T T
U R L U K H J H O Q W R N
J Y A K H L P A S Z O I C
```

ABBY

ANGEL

CHESTER

CLEO

FELIX

GEORGE

JACK

JASPER

JINX

LILLY

LOKI

LOLA

MIMI

MISS KITTY

NALA

SIMBA

TINKERBELL

ZOE

To be without some of
the things you want
is an indispensable
part of happiness.

Bertrand Russell

Tchaikovsky

```
K Y J D V O T K I N S K E
R V N B E K J N S C Q E U
O C Q A P R A K Y A V N G
M H Q I P I F N B A E N E
E O C O S P O N L G U K N
O L Z S Q H E S A T Q C E
A E U A P Y E Z C M I E O
N R K M R H T R A O T M N
D A Y A C T A Q V M E N E
J S V R L C I E P A H O G
U K A I K N R A N I T V I
L M T E O T A P N U A O N
I N R Z U L E W M A P N L
E H T R O P I F S N Q V O
T T E L M A H N I H E O A
```

CHOLERA	PATHETIQUE
EUGENE ONEGIN	PIANO
HAMLET	ROMEO AND JULIET
MANFRED	RUSSIAN
MARCHE SLAVE	SWAN LAKE
MAZEPPA	SYMPHONY
MOZARTIANA	VIOLIN
NUTCRACKER	VON MECK
OVERTURE	VOTKINSK

Slumber Party

```
R H A G N I T T A H C Q I
P V T W X W X G S T Q S V
L X E V M X P D A E M C W
U A V Y P O Q I S M K X P
Z A U N A Q O E L E E A M
V W D G F F S R E L Z S C
T H A G H I S G D J O F U
B A P T O T N D T E U W U
T Z L N C I E D N D B K S
D Z A K G H L R M E A C M
R I Y N I G I G G L I N G
I P I O J N T N Z T G R S
N S N R Y T G R G B E U F
K I G S E R A D X T O G C
S F C I S U M F C Z V X Z
```

BEDROOM	LAUGHTER
CAKES	MUSIC
CHATTING	NOISES
DARES	PILLOWS
DRINKS	PIZZA
DUVET	PLAYING
FRIENDS	SINGING
GAMES	TALKING
GIGGLING	WATCHING TV

"V" Words

```
V E S U V E B P V L V E V
V U E U Y F V Q S R B C L
I Y V G I Y V R A M T N K
V E L B A T E G E V D A B
A I V T K Y E U V V T E V
C P T U V N O I G O D G L
I U S I I E T V U A W N B
O G D V C A D V B V V E R
U E S I L U V Y I N G V L
S V N L A X L L A D N A V
G E Y B U N A T F P D V Y
V N N U S V U V U T K A T
Y D V R I V J C H R V S M
V O E R V I G N I W E I V
V R T E G A T N I V U D N
```

VAGUE	VINEGAR
VANDAL	VINTAGE
VEGETABLE	VISUAL
VENDOR	VITALLY
VENGEANCE	VITICULTURE
VENICE	VIVACIOUS
VERVE	VOWEL
VICUNA	VOYAGE
VIEWING	VYING

Bodies of Water

```
A I R O T C I V E K A L F
A R A L S E A W A E T M N
J E M X R B A S S S E A I
V G S Q S U R O P S O B K
Q U N A C A R I B B E A N
Y L A B N O L A X R E D O
A F P E K I L K I S K R T
B O R A S T H N K Z V I F
Y F E K I L G C M P M A O
E A D C Q S A F H O G T F
S D S H T L H R R T X I L
M E E R B K A S O O U C U
A N A S H U E U U C R O G
R I A E S A R A K Z E H S
T A G C Z U J G F P J V R
```

ADRIATIC	GULF OF ADEN
ARAL SEA	GULF OF TONKIN
BALTIC SEA	KARA SEA
BASS SEA	KORO SEA
BERING STRAIT	LAKE VICTORIA
BLACK SEA	RAMSEY BAY
BOSPORUS	RED SEA
CARIBBEAN	SOUTH CHINA SEA
CORAL SEA	TIMOR SEA

Airports of the World

```
Y F S E L E G N A S O L L
E R E X W Q B N L E D H A
N M V A N C O U V E R C G
D U B A I L V Q N K K I U
Y X W P E H F V A A Z N A
S E R C A U E N S U L U R
L O R N E R S T E S E M D
V A N L W A R E C W B H I
B I F F I U H S A Y A L A
J A N P P G H N T Z R R H
N J N C S B D S L E I L K
S U N G H P Q K A X M O L
J U F J K E K K N M R G I
Y W I R S O O T T C S A H
A D E N A H K N A Y D N W
```

ATLANTA	KASTRUP
BANGKOK	LA GUARDIA
BARCELONA	LOGAN
DENVER	LOS ANGELES
DUBAI	MIRABEL
HANEDA	MUNICH
INCHEON	NEWARK
JINNAH	SYDNEY
KANSAI	VANCOUVER

Bones of the Body

```
G F N B I J E B L G I C Y
V P C A R P A L A M S W F
Z S P J L N T K S U N R R
X U A S V T O U L R I L U
S E C N Z Y I H M C H A I
I L E C K D X B S A S R U
V L E T A L T A I S O T L
L A N R U Y E K Y A G E A
E M K A O S S I C L E U W
P M Z P V B F H F U I Q L
S P H E N O I D Q L I I A
B L Z Z K X C L Y N L R N
F E N O B W A J I A S T V
U S B I R Y X R H U X I I
N P A D C C D X D I M J L
```

ANKLE	RADIUS
ANVIL	RIBS
CARPAL	SACRUM
ILIUM	SHINS
JAWBONE	SPHENOID
KNEECAP	TIBIA
MALLEUS	TRAPEZOID
OSSICLE	TRIQUETRAL
PELVIS	ULNA

Hippies

```
E C Z R O M C O K V N V J
N F P N E T I Q O G K A X
K I M E L L O W E T A B Z
A S E W U W A N S R F Y P
R E L V P A X X N T T D A
M E C I O G V N E D A X T
A E Y A B L H J C D N W C
U A D A E E C T N R O H H
P A Z I R P R W I O I E O
G A F F T P C A D L Y G U
R Z V C B A H S L D R M L
O P A R T G T O E I F E I
O M A F N O U I K Z S W L
V E C O C T T J O E H M S
Y L L K C O M M U N E R R
```

CHILL OUT	MEDITATION
COMMUNE	MELLOW
GROOVY	OP ART
INCENSE	PATCHOULI
KAFTAN	PEACE
KARMA	PRAYER
LIBERALISM	RELAXED
LONG HAIR	TIE-DYE
LOVE-IN	WOODSTOCK

Things You Can Peel

```
B P M A T S E G A T S O P
R S A T S U M A E P N R O
A L I A D C A D C I P M P
B A N A N A Y A K F T L I
U S U U R L I S B T X E E
H F A E L D L O G J K H B
R V M A W N T O R R A C P
L D C Y I X L M F E B L A
B E F W K Z U J P U H K I
D C H E E S E R I N D E N
B G P Y H M H G V E T R T
R A H R Z W P R C F Z U X
T C O Z H O C A I E B A O
T O M A T O P P G M W N I
M U X T X S Q E M H P V O
```

APPLE   POSTAGE STAMP

BANANA   RHUBARB

CARROT   SATSUMA

CHEESE RIND   SHRIMP

DECAL   SKIN

GOLD LEAF   TAPE

GRAPE   TOMATO

MUSHROOM   WAX

PAINT   YAM

Volcanic

```
T E C I V E R C B Z B O Y
E A S E P R E E Y E K H G
G N L E R U P T I O N V X
H S O J N S T N V L N R M
R L F C H K A F K E A X N
S J V I B L V M T B D V T
N X E W X Y U L G O S S A
Q L N L G A O N R A U I K
D S T E A M D M W R M T T
I L G P K H A S C A M S I
W Y A O R N A K G R I U U
Q Z S I T W A R H L T H D
I J E D D J R L G W X G N
F I S S U R E E F B X B O
G U J L O S E T A L P V C
```

CONDUIT	LAHAR
CONE	LAVA
CREVICE	MAGMA
CRUST	MOLTEN
DORMANT	PLATES
ERUPTION	SHIELD
FISSURE	STEAM
FLANK	SUMMIT
GASES	VENT

Shades of Red

```
D R A L I Z A R I N E X W
O E E K N E K X Y B M G A
U N Y D P H A H Y L A K Q
L I C B W P N Z D Y L D T
B G A X U O S S D S F O R
B N R I S R O N U O J A F
B E M M N V V D R R B P N
H E I A K Z E T O A I F I
O R N E X C R N N G N W N
C I E C E C M N E N N R Y
W F N R R H I B N T U O O
A D I D Z C L M L B I F C
D S T U I A I N U O R A E
E S M H L A O A K N O D N
A H N C N K N J Q P L D F
```

ALIZARINE	FLAME
AUBURN	FOLLY
BLOOD	INDIAN
CARMINE	REDWOOD
CERISE	ROSY
CINNABAR	RUBY
CONGO	RUDDY
CRIMSON	VENETIAN
FIRE ENGINE	VERMILION

Famous Pictures

```
I Z S L A T J K J V C E T
C D C W R M Y J O S T N L
A H F A O U B N R M U A P
R P A A L H K E B H B L D
U A M A F V H X R G E N F
S Q I V L T A O M O A I O
S X Y L A O N R E U N G U
I U E B W E N S Y C A F R
V D M Y V A I E G I D G S
A I N S X D Y W P X O X A
Y I O S A L O M E A L S I
L R Z R L R Y T Q O U M N
G Z A R V L E D X D N W T
H P V E O L A B E L L A S
Z S E N U D H M H T T B M
```

ALONE	GROSVENOR HUNT
BATHERS	ICARUS
CALVARY	LA BELLA
DANAE	LEDA
DUNES	MEDUSA
ERASMUS	OLYMPIA
FLORA	PARADISE
FOUR SAINTS	RAILWAY
GIN LANE	SALOME

Books

```
D B Y T D X C R O R R O H
L E V O N H L U F U D W E
G B X L A I A A B C R L T
Z P W P G K I U B R C P H
B F T K P R F T B I K I E
T E X T Y R H H N Y D G S
R Y U T N R S O P H I O A
C E A M I A R R S N C X U
U L V L Z H P U X X T V R
E L L I C W P U S E I U U
X E I T E C L E O D O R S
R X R O G W G V S N N E W
T N E M L A T S N I A V G
I Y D E P H E R R O R O J
C U E R O M A N C E Y C F
```

AUTHOR	NOVEL
CHAPTER	PAGES
CHRONICLE	PLOT
COVER	REVIEW
DICTIONARY	ROMANCE
FAIRY TALE	TEXT
HORROR	THESAURUS
INDEX	THRILLER
INSTALMENT	TOME

Dogs' Names

```
P T X Y P P A R C S P P Y
P K K U G H R S S D E H O
R S A L C C D E C X N J M
I L B T F E N O T S N I W
N E U W I J O Y U S Y H G
C B R X W E D P J P E A R
E A I K J Y W T P B M H Y
S D P Q D G R S F R R A C
S I A A R C H A R L I E X
C P L Y D S K M S Y Z L T
R H S B O A F A J E B U Q
A B E I B U N N N T A O G
E S R E M O Y T E G E C T
B R H E Y B Q H Z P E Z K
W S F V U S A A T R L L N
```

ANGEL	MAX
BEAR	PENNY
BUTCH	PRINCESS
CAESAR	SAMANTHA
CHARLIE	SCRAPPY
CHESTER	SHEBA
DIXIE	SIMBA
KATIE	TOBY
LADY	WINSTON

Success is not the
key to happiness.
Happiness is the key
to success. If you love
what you are doing,
you will be successful.

Albert Schweitzer

Keeping Bees

```
H C P G S B X M Y M K W S
H I U H N Z W I G X U G C
H O V E R I S T D C G V O
S C B E V I T E R E Q O W
G G E B I Q R S I B V I X
G U E K Y L Z A P I A R Y
A R K Y S Q R U Q M U H E
E C E A X I Z E E C X Q N
V M E J T P L Y T Y P S O
F Z P R W X V P N S M Q H
L X E U X U G C F O U E A
F E R O P I B K K Q L L W
S O H B R A N E M B M O C
Z I O D J X E P C H S F C
I U U D W G N I M M U H H
```

APIARY	HONEY
BEEKEEPER	HOVER
CLUSTER	HUMMING
COLONY	MITES
COMB	PUPAE
EGGS	SMOKE
FOOD	STING
HIVE	TREES
HOBBY	VEIL

Let's Go

```
E R A E P P A S I D G L K
F S G Y Y A C W K Y Z L H
W S M X K S Q D I K A I D
A E M E P S D M F W O R W
R R T B N O X Y L Y I C D
D G E R G N E D I V M A E
H O X Y A S E B E Q E M V
T R I W A T N S U H Q V K
I P T E N F S I O G N N U
W X L L U G C J E O A L L
F E V U G K A T M R M E M
R U N O F F Y H N H V A O
D E E C O R P P P A K B V
K M N C O X S K R A B M E
J A E V A E L T B I X H I
```

DISAPPEAR	PROGRESS
DRIVE	QUICK
EMBARK	RELEASE
EXIT	RUN OFF
HEAD	START
LEAVE	TRAVEL
MOVE	VAMOOSE
PASS ON	WALK
PROCEED	WITHDRAW

Herbs

```
L L I D S R D J F Y K E L
B C H N E O I E L P M U A
E A I L B S V F F Y V C Y
B M Y L G E Y T H D I D O
F M P N R M Y T E N M P R
U G A F O A T U R F A R Y
A F E R K R G A E G C R N
L W R V J Y T N Y S E Y N
E I I I R O U R E P A C E
R M S O U G R J B V L G P
R K V A R Z G A S E V N E
O A Z E B R J X M A E E T
S R E D N E V A L Z U G C
W K C R C A I C O R Y Z B
E X Y R O C I H C L W Z L
```

ARNICA	MACE
BASIL	MARJORAM
CAPER	PENNYROYAL
CHICORY	ROSEMARY
DILL	RUE
FENUGREEK	SAGE
FEVERFEW	SAVORY
GARLIC	SORREL
LAVENDER	THYME

Soup

```
R H O G N R E D W O H C I
A O S T O C K P T I O Z C
T E S P A P G R O M U I C
S K M D I M M L A T L X B
A O G L N E O H V R A R M
P Y L R E I D T A K O T U
P R B X E N W G Z T B S O
N O C T A E T N H O E A O
O X T A I L N I W Y E H T
N U E A Z W D T L O F O Q
I P V L G I J D U Q R Q Q
O H Y K N E W U F R N B U
N N O T N O W Y A I T F J
B M N J M X E C Z F S L G
R U O J U D P U O S L Y E
```

BEEF	OXTAIL
BROTH	PASTA
BROWN WINDSOR	PEA AND HAM
CARROT	POTAGE
CHOWDER	POTATO
GARLIC	SOUP DU JOUR
GREEN TURTLE	STOCK
LENTIL	TOMATO
ONION	WONTON

Mission

```
L E C R O F E I T R O S Z
J Y T D D K G A G J W T M
W P U Q Z G S O L O K S V
I T A C S A A A R O F E E
Y F X C E L B K T R J U E
R A I S O N D E T R E Q S
T E L O D M W X S S X H O
C C H O R E M N Z O D F P
S U U D C H K I O T F T R
M W G U Z I U U S I Q D U
J I P M I I D E C S T J P
D N A R R E V E Z R I C D
M S H A B Q J E W Q F O A
N H I Z M A K O M D L O N
E D A S U R C J B Z V B S
```

ACTION	JOB
AIM	OFFICE
CHORE	PURPOSE
COMMISSION	QUEST
CRUSADE	RAID
DUTY	RAISON D'ETRE
ERRAND	SORTIE
FORCE	TASK
GOAL	WORK

Containing "RUM"

```
R U M M U R O C E D R U M
Q U O R U M M P X L U M D
R U M T X T T M U R M U Z
A U U R E C N E M U R R B
G U R U Y P R U M L R T R
N X B M I P M G U A S N E
I M E B H Z M U R C H E A
M U R A C S M U R A H C D
M R E E L B M U R C X F C
U D C S U P M U R F R C R
R O E A T M U R U M U Y U
H B R J A R U M S N M R M
T U E G T N A N I M U R B
M N E S R U H W U B D Q S
L O R U M F T R U M P E T
```

BODRUM	QUORUM
BREADCRUMBS	RUMBA
CENTRUM	RUMEN
CEREBRUM	RUMINANT
CRUMBLE	RUMMY
CRUMPET	RUMPUS
DECORUM	SCRUMMAGE
FRUMPY	THRUMMING
HARUM-SCARUM	TRUMPET

Capital Cities of Asia

```
E X S E L U O E S I K E B
N T L V A X Q K X U Z Z T
A B F U G N V T A I P E I
I S B M B H A L K F G F I
T B A E M A A T O S A O E
N E A O I L K I S L N A J
E Q A N U J H I I A A V I
I T Q M G L I N H M K S S
V A P C E K A N I E A O L
E U T D Q M O Q G O H Y A
R K W R X C Z K F A D K M
F E G N A Y G N O Y P O A
N T A S H K E N T R U T B
T E H R A N A H U F G T A
G J I J E Z Q J K E W V D
```

ASTANA	MANILA
BANGKOK	NEW DELHI
BEIJING	PYONGYANG
DHAKA	SEOUL
HANOI	TAIPEI
ISLAMABAD	TASHKENT
JAKARTA	TEHRAN
KABUL	TOKYO
KUALA LUMPUR	VIENTIANE

"W" Words

```
W E N O T G N I H S A W W
O O R Y B W W W J J O O S
W H W W H I S P E R I N G
E S U A R E R H M Y G D M
L T W G L E G S W H W E R
T H Q E S L S A Y B P R L
E G U R T S I T K W N F Q
R I P B W S E U L C V U U
Y E W T T H Y N H E E L T
F W Z C E C I R K G R R A
W P O S A W S T E A Z W W
F A O H K E I H T T E R U
T H F C V F W A L L A W W
W W E I W H T A S T E W E
W B W A W M W H C I H W W
```

WAGER	WHICH
WAISTCOAT	WHISPERING
WALTZ	WHITTLE
WASHINGTON	WHOSE
WATERY	WIVES
WEAKNESS	WONDERFUL
WEIGHTS	WORMS
WELSH	WRECKAGE
WELTER	WRESTLER

Nine-letter Words

```
Y L N I A T R E C Q V R J
B E C F S X D P W D O E S
S F I N F L A T I O N I A
K A T A R N I S H E D M U
E D E C N U O N E R W U N
T X H B Z B H R G C W T B
C H T Z I W A H X B P S L
H H S I L B U P E R A O O
I M E A N D E R E D U C C
N H A X L O M C Z C F I K
G B A C K F I R E D K J E
Y R R E B P S A R K E S D
L T H G I R N W O D R Y I
Y B Q C I T O R E T E H C
A H E R E I H T G N E L A
```

AESTHETIC

BACKFIRED

CERTAINLY

COSTUMIER

DOWNRIGHT

HETEROTIC

INFLATION

LENGTHIER

MEANDERED

NEWSFLASH

PRECIPICE

RASPBERRY

RENOUNCED

REPUBLISH

SKETCHING

SLINGBACK

TARNISHED

UNBLOCKED

Found

```
P I P L Q D X T N A L P F
U Q D E I T E O L O C K W
T G E N J N R R C E C M A
E X N C O G S A R F F K S
S G I O H Q T T C U N C E
B O M U O E O A I E C O D
B T R N D D H X G T D N N
O H E T D X F S N W U S I
Y O T E C E L Z D W D T Q
J L E R A G C T V E Y I E
S D D E M N R N F L L T H
S H W D E L R O A S C U C
X H C N U A L T U H M T R
X S K U P J M V L N C E C
S T I H N O T I C E D M V
```

CAME UP	INSTITUTE
CHANCED	LAUNCH
CONSTITUTE	LOCATED
DETERMINED	NOTICED
ENCOUNTERED	PLANT
FELT	RULED
GOT HOLD	SAW
GROUND	SET UP
INCURRED	TRACED

Water

```
T  B  L  R  D  O  E  L  F  O  S  F  U
N  E  I  D  R  O  P  L  E  T  L  B  S
E  Y  M  D  Z  M  W  G  R  O  E  P  Y
R  V  D  K  B  V  K  N  O  H  H  F  D
R  S  R  F  C  W  F  D  P  C  C  E  Q
U  R  A  I  N  F  A  L  L  O  L  O  R
C  M  E  Z  P  R  L  I  M  U  U  P  D
Z  S  N  S  H  T  Q  H  G  M  G  R  D
W  A  D  U  E  U  I  E  C  U  N  H  H
A  Q  R  I  I  R  F  D  X  T  E  M  R
V  H  C  D  P  C  V  R  E  O  I  D  J
E  O  S  J  F  A  W  O  U  E  E  D  D
S  A  F  A  U  N  R  M  I  S  D  T  L
L  Q  U  T  W  A  C  R  O  R  B  D  Z
W  J  P  Z  W  L  U  H  T  H  S  Z  Y
```

CANAL	HOSE
CURRENT	LIQUID
DELUGE	RAINFALL
DITCH	RAPIDS
DOWNPOUR	RESERVOIR
DROPLET	RIPTIDE
EDDY	SURF
FLOOD	WASH
GULCH	WAVES

Drinking Vessels

```
P N E C A N N E E T N A C
U S T E I N E B G M X V P
C T Z O E O H S V T I A U
A O G S S A L G T O H S J
E U P T S M O Q M P Q I V
T P H I A Y V H U E G T K
A W T S T M I T H G A S R
G E M Y I A N O E Z A E I
Z H Q I M H G R Z L S S E
B F N E E H C A F C B E B
K E R O D Y U H Y N S O N
J P A B G O P L G U H O G
C M O K Y G I E R S G A Z
N W G T E X I C Q Z V U T
L E U E Y R K N F J W O M
```

BEAKER	JIGGER
BOWL	LOVING CUP
CANTEEN	MUG
COPITA	NOGGIN
CRUSE	SHOT GLASS
CYLIX	STEIN
DEMITASSE	STOUP
FLASK	TAZZA
GOBLET	TEACUP

Tennis

```
I P G O H T I K C O L B S
S Y I E I H C T T A W R E
S T L H F D U M P I R E A
A C I V C E Y A L U E L V
G J C E R E K L C N L L O
A O K Z B S I B U E O S S
B H S E E A G P Y V X W T
R A H O M J Z N E I D I E
A N H S R C N L I K E N N
M S P O T E K J W B U T Z
O S E M A G R Y R C B S U
V O Y Y U S Z E I Z W O K
I N E H E V A H D I U X L
C G W C X K I F N E S I H
B U A G B U L G H D F U F
```

ABRAMOVIC	KUZNETSOVA
ACES	LOBBING
AGASSI	LOVE
ALLEY	SEED
BLOCK	SHOES
CHIP	SWING
FEDERER	TIE-BREAK
GAME	UMPIRE
JOHANSSON	WILLIAMS

We are never
so happy, nor
so unhappy,
as we suppose
ourselves to be.

François de La Rochefoucauld

Varieties of Carrot

```
Z Y T C N T M U I U X D E
G D E O H F C E W A Q P Z
R N K L J F K I D E A L I
O U A P R G E N O O B Q
Y R E P U E T E E Z O B J
F Q T X O A B D D R I M I
U R E S C L Q M I F U O H
J F M K E P I A A D P K T
Y S P W A A N C L C C U O
E V O R A X M B E A J M N
X S M C V N I E D E I Z A
C E K M O N A R A P N A T
X S K I N G S T O N G E Y
I M X K M U Y A Q L O J S
F W P R C O G N T J T W I
```

ADELAIDE	MAESTRO
BERTAN	MOKUM
CAMBERLEY	NAIROBI
CAMDEN	NAPOLI
ESKIMO	PARANO
EVORA	PARMEX
IDEAL	SYTAN
INGOT	TEMPO
KINGSTON	YUKON

Alice in Wonderland

```
Y H O E A K G C M T N U W
L K G K O O C E H O W H E
O W A L R U S G H P I V M
R I Z V T U I P M T F C T
Y Q E D O N Y Y E E I W A
T H O M K R T Q L K E M E
U D R D G R U T S E R O W
O O E N A E R E D I F O D
D R M P E U L L D I Z R N
F X A N T D E U G T D H K
P E J K D D C R O S E S Y
T W C I U H A N I D Q U V
Z O R M E R Z Q O A A M X
M Z D S R M A R Y A N N R
G B S K Z V B C F Z M I L
```

COOK	MOCK TURTLE
DINAH	MUSHROOM
DODO	RED KNIGHT
DORMOUSE	RIDDLES
DUCHESS	ROSES
EAT ME	TEA PARTY
GRYPHON	TWEEDLEDUM
LORY	WALRUS
MARY ANN	WHITE QUEEN

Countries' Former Names

```
Z F N W J N Y E M O H A D
A C O K A S I A M C P A X
I I I R S I L G A B I W F
N E B J M D S T N N X B N
I R L M E O H R O A G E F
S X A P O A S D E O M C K
S A S R Y L E A K P C H A
Y X I S H L D R P C F U M
B N C M A O Y A P N I A P
A U R C E B D Q V Q D N U
E M H Z O H T E R I H A C
F I U A A Z O S S Q A L H
S D T I S F S B K I G A E
S I C R S U I F V S A N A
K A E E R N O L Y E C D J
```

ABYSSINIA	KAMPUCHEA
ALBION	MANGI
BECHUANALAND	MOLDAVIA
BOHEMIA	NUMIDIA
CALEDONIA	PERSIA
CATHAY	RHODESIA
CEYLON	SIAM
DAHOMEY	USSR
FORMOSA	ZAIRE

"GRAND..."

```
L E W P E C O A R H W R T
B K U L S J P Y O R E B F
G G C J C S R A C N H Q E
H N K P O E E H R M P P H
U S F N I I I H N E E I T
I U S N P L M X C I N U W
J U R Y D N U F I U E T I
P A Q R O Y W Y S Y D C S
M R E V E N W H H O E A E
M N J A S E C A N Y O N Y
R A S T P C D M O X T S P
F H L I R R Q N N C O L L
P I A S I A O D A W U Z B
M N R U X L M N Z T R R Q
O R Q X R I W F O F S O Y
```

CANYON	PARENTS
CHILDREN	PIANO
DUCHESS	PRIX
FIR	SLAM
JURY	SONS
LARCENY	STAND
MARNIER	THEFT
NEPHEW	TOURS
NIECE	UNCLE

Talk

```
N S W T A E P E R A P F T
A T U I T E G N R Z S N H
T U R I T U O T R U L B E
T J C E A E I L K K Q B N
E E A E F C R R V N K S U
R C J R U N B A N C H Q N
L A G L R X O E T T R B C
W P A C R H X C E E E E I
W T L N S P L I L I P C A
E L X E L L O O T O R Q T
A N E A A C Q V T D E D E
T C I D I D O H A Q S V P
A N E U G R A U T T E R F
L E C T U R E Z P E N N C
K M O W W Y Q X R I T K L
```

ARGUE	NATTER
ARTICULATE	PLEAD
BLURT OUT	RECITE
CONFER	REPEAT
ENUNCIATE	REPRESENT
EXPLAIN	TALK
ITERATE	TATTLE
JAW	UTTER
LECTURE	VOICE

Carnival

```
K S W S O Q C N H O R S Z
T D V G M I Z T V Y K X Z
F N Q T S A C D T C N A J
H A S U F W E I U J X M E
O B M E Q L R R L F O A M
R H X J L A T C C I M R S
S L P R H C T P F E M C N
E R I C S G Y E N S C H W
S A E U F M V C D T Q I O
F J V C A L U D R A Z N L
F S P O N S O R S O R G C
L V G O Z A E A D S T A H
A B E S P V D D T I B O P
G U I L D S P R R S F R M
S Q Z K I U J B K E O L D
```

BANDS	GUILDS
CHARITY	HORSES
CLOWNS	ICE CREAMS
DANCERS	MARCHING
DRUMS	MOTORCYCLES
FAIR	MUSIC
FIESTA	PARADE
FLAGS	SPONSORS
FLOATS	TRUCKS

Aim

```
B J I T L U H A P V D N K
T A Y A H S R X R N E N S
X U O I I G Y O I M T V T
E G N W N O I A L R E A E
P R T O O M S S O N R Y S
O K F U I H N D F G M G O
H I I R S T G F E J I N P
J Y R P S K N T Q L N I O
D E D D I H B E V C E R R
A T T E M P T P T X N A P
W X K R R Q T A B N G E D
W N P O A Y F S J C I B L
V I E W A I R E A S O N L
E V I T O M N E S R U O C
S E V I R T S X Z R Q B E
```

ATTEMPT	MOTIVE
BEARING	PROPOSE
COURSE	REASON
DETERMINE	SIGHT
DRIFT	STRIVE
GOAL	TARGET
HOPE	TRAIN
INTENTION	VIEW
MISSION	WISH

Phonetic Alphabet

```
W M A I D N I U P T E F G
Y T N Z E I L R A H C O A
C S K P J N Q G T A X M W
B S I F J O O J X S I L H
G T L H T V L A T L E D I
R O H Q O E O Q Q M T Y S
G S T O R M Y U U R F F K
O H C E T B E A E O Q D E
T V O F X E M M B F B E Y
R T A Q O R L Q E I E D Q
O U E R F V A Q C N S Q I
M L Q I B I U H X U D E J
E U E H L L T C Q R K S Y
O S J B U U T M I I A E Y
N X H Z W O J G M H E Y H
```

BRAVO	LIMA
CHARLIE	MIKE
DELTA	NOVEMBER
ECHO	QUEBEC
FOXTROT	ROMEO
GOLF	UNIFORM
HOTEL	WHISKEY
INDIA	X-RAY
JULIET	ZULU

Snow White

```
T W T O B N E T S W F H S
L Q A P P L E Z Q A S L V
B U Z M D L L V I Q D U T
W E F E A R D R E N C F J
I E E I S M E X S S O H D
C N Y Q T S A E I O T S X
K O G Q T U M T C E T A O
E L G F O I A W O H A B N
D B Z J N G W E M I G U Z
F P R I N C E D B Z E R S
Y C N Q W G F J O P D L Y
G G H W K B C Y P P A H S
I T B J K O S O E I E S H
F R A W D U I H J X I Y X
N R T H R O N E O K W Y L
```

APPLE	HAPPY
BASHFUL	KISS
BEAUTIFUL	MINING
COMB	NEEDLE
COTTAGE	PRINCE
DOC	QUEEN
DOPEY	SEVEN
DWARF	THRONE
FAIREST	WICKED

Eat Up

```
D W O W M R U O V E D F T
O U D M L E W E T I B U J
N I N J L W R C W D B P E
E I B B Y S X I E R A F S
B M B O R H T B O R H E Y
T O K B L Y W C T C F T C
G F T V L T H A N U M A O
H R W O Y E K U W B I C N
C P A L W E M T K X C I W
N K F Z D X W P H H N T O
U V M I E I A Q L X V S D
R F N E E S N W P U R A F
C E A B J S G I X M G M L
E M U S N O C C H Z Y J O
K C U P H K H E B H B B W
```

BITE

BOLT

CHEW

CONSUME

CRUNCH

DEVOUR

DINE

FARE

GNAW

GOBBLE

GRAZE

GULP

MASTICATE

MUNCH

NIBBLE

PARTAKE

PICK

WOLF DOWN

Drinks

```
J R E D I C M Q A M H T J
C V O R X I N K R W E I D
Y C N S J M D J N I B A X
E N A U C O F U U V P Y D
C C D N V E Z B G H M R M
I O C O G Q M B K D Y U N
U C E N N A M E E D T R R
J O Q L R R M E R R W G T
T A H D A Y E R O D V E L
I A L L I R A P A S R A S
U O D P M E E K R A A K P
R G W T E M T G L E L U L
F E I N O L D C N I G X I
D A I N X Z U B M I Y A D
N W E K G L N J H O G D L
```

ARMAGNAC	LAGER
BEER	MEAD
CIDER	MILK
CLARET	PERNOD
COCOA	PORT
DRAMBUIE	RUM
FRUIT JUICE	SARSAPARILLA
GINGER ALE	VODKA
JULEP	WINE

At the Beach

```
A E D A P S R P Y T N T S
Q L L H K B P F I P S M F
I W L R C R B R E C A I F
X S K E S U C O A K N S I
Y L G K R U C W C Y D I L
Q O N W B B E N W R A D C
M O E B Z Z M J A T L U C
U P T O W E L U E G S N Z
S N O S U N G L A S S E S
S E Y E P E N P R D T S S
E E V B F I W I F I D X T
L R D I N L E E R J K K A
S F L I P U A E K I X O O
F R Q L T K I G T T D X B
X H X R S P G E S F M R U
```

BOATS	PIER
CLIFFS	POOLS
DUNES	SANDALS
FLAGS	SPADE
INLET	SPRAY
KITE	SUNGLASSES
LIFEGUARDS	TIDES
MUSSELS	TOWEL
PICNIC	UMBRELLA

Free

```
N E P O U X R E S O O L E
O F A C O E R S S M R X M
Y A C C L D S P V F T B A
F R Q E E E A A A N Y N N
I W A V L R C V E B A N C
N S O T E A K D P Q W R I
E I S D N Z N S D B A D P
D O K T E E Y T P M E U A
C Z F E P X M E B I V N T
H B G E K L I I F E I P E
U K D R Y H P F L L G A D
A N N Y A I O Z T P S I E
I J T W B T H Z V O M D K
M A J I E S I T H I N O P
X V E L E A B S O L V E C
```

ABSOLVE

COMPLIMENTARY

COSTLESS

DEVOID

EMANCIPATED

EMPTY

GIVEAWAY

GRATIS

INDEPENDENT

LET OFF

LOOSE

NOT FIXED

OPEN

RELEASE

SPARE

UNPAID

UNTIE

VACANT

Mankind are always
happy for having
happiness. So if you
make them happy
now, you make
them happy twenty
years from now by
the memory of it.

Sydney Smith

Double "M"

```
G E E Y J M M C X M M U F
V M M E M M M J M A M X K
M E M M J M M A M M O T H
L M T T H R U M M I N G G
Y A M A M M A T L R K X R
O G A M R N W A D L M O A
D M O C P O T U I A M M S
E M D L N R M M L T U M Y
M D G A O Z M E E N R U M
M P I M Y N I M M E K L M
U P M M M S U U M M D F E
G I M I M F A M A M O G T
R M I E I E A O M E A C R
M A C S H T S Y M I C I I
N M K T S M M T M M U R C
```

AMMAN

ASYMMETRIC

CLAMMIEST

COMMEMORATE

DILEMMA

DIMMEST

EMMENTAL

FLUMMOX

GIMMICK

GUMMED

IMMORTAL

IMMUNOLOGY

JEMMY

MAMMOTH

SHIMMY

STAMMER

THRUMMING

TUMMY

At the Auction

```
C U T C S C M Q H G W D T
C O N B N D Z T Y O T J Z
I H L C G U O U B H P J S
N F E L H E A O T B X M J
A U P S E I N A G Z E N M
I R M R T C N U S T K P G
L N E A I N T A I A R E N
I I D J F C L I H N N U I
B T A P C E E O B F E Q T
A U L J R S J L S L D I N
R R S O S R T E K L E T I
O E O C P E Z V O L I N A
M M M V L Y U A O F O A P
E Y R B T U O G B D J T O
M M W L F B K Y L K A Q S
```

ANTIQUE	GOODS
BOOKS	ITEMS
BUYERS	JARS
CHEST	LOTS
CHINA	MEDALS
COLLECTIBLE	MEMORABILIA
FURNITURE	PAINTING
GAVEL	PRICE
GENUINE	SALEROOM

Roman Deities

```
S U T C I V N I L O S A K
B T L S N Y C Y S M K N C
E E U C U E Q K S O A O T
R T L P U N M M O R N R N
L T H L S Z A E M T U E S
T A U R O R A V S A E G O
F R B R C N Y Y L I S N M
E O P W O Y A L S I S A E
I M R U N A C L U V S Y G
R E E N P R O B L J Q M W
E R T S A S N S L E Z N S
K C X S O X U H E A C U E
Q U M L R L J R T K N Y N
W R R U A O X I Y E J U T
X Y O S A Y M R V C X K L
```

ANGERONA	MORS
AURORA	MORTA
BELLONA	NEMESIS
FORNAX	SALUS
INUUS	SILVANUS
JUNO	SOL INVICTUS
LUNA	TELLUS
MARS	VENUS
MERCURY	VULCAN

Winning

```
N F N C P P N D D A W A U
O M O N E Y A R D G A C A
I V E P O E A H E T A H N
L A A T P W C O E N H I C
L F S T A C H Y H A N E N
A W U Y I C Y F Y R D V G
D S C T O O I H T G Z E N
E T C F I Z N F P N B M L
M O E E D A F S I O A E U
I I S D N K C A L T R N S
T T S N G D D X C A R T N
C P R B D E A H Q C N E K
H K M A Q E E N S I E I C
R I S M T J U M C A N U F
L E T T E S O R X Y P W F
```

ACHIEVEMENT	GRANT
AHEAD	MATCH
ASCENDANCY	MEDALLION
AWARD	MONEY
CERTIFICATE	OVATION
CUP	ROSETTE
EDGE	STAR
FINALS	SUCCESS
GAIN	TROPHY

"LINE" Ends

```
I N U K G B C Y Z R P N P
R B L P E N F R H W H V E
Z E E V S X I O E N I L Y
Y M Z T L W J T A D R C D
P B A R A X B S R C I E M
R I F J J D G G T A H T G
O M P C G U X O S H T A I
D Y K E I N G A H B A S Q
U K N D Y D I L O R W N W
C K E L P A A D E H B D Q
T A G X J E O H I W L N J
I M E Z A L Z P P V F A P
O P P O W E R S P H I L Y
N E K G N I R I F O N D Q
O D R F D Q B J C T L F V
```

BAR	LAND
CREDIT	LEAD
DATE	LEY
DIVIDING	PIPE
FIRING	POWER
GOAL	PRODUCTION
GUIDE	STARTING
HEART	STORY
HOT	TAG

"GOLD" and "GOLDEN"

```
G X C R E V E I R T E R W
E E C E E L F Z L T Y K I
D U D I G G E R O K O O T
R O J A A T J G W Y T N K
O C E E H A N D S H A K E
H L C P Y I F I X D C Z O
C N D I S I B F N L U Q R
H N Y I L K E E M X D Q T
H S E L E V P N Y T R W J
G D I D Z I K M E D A L C
I N L F U W U G D J Y H G
G I L H L S G K C E A H K
S T A R S U T W A I G R U
T U P S N Y A R N Y E X B
T G R M E A S L Q Q Y F S
```

CHAIN	HORDE
DIGGER	INGOT
DUCAT	MEDAL
DUST	NUGGET
EAGLE	OLDIE
FILLING	PENDANT
FISH	RETRIEVER
FLEECE	STARS
HANDSHAKE	YEARS

The Castle

```
D Y E L I A B W V U H S Y
S T E N K L Z R J D T C O
X R F E G D E U D L E A C
L I E D Q D X U U T J S B
A Q N W A N N A A H E A S
V B G N O G V G Z C T F K
E O N C E T N L I T S D P
I I S O H R G V L I I E Y
D L N T E A W E M D E I N
E E Y T K T M A C K G Z A
M Y S I M E S B R G E G X
X O G H N R T M E D S Z L
P Y T T E R A G N R P J J
X A S T V U O N E U X W B
A H C Z E T M D L F C A L
```

BAILEY

BATTLEMENTS

CHAMBER

CRENEL

DITCH

DUNGEON

INNER WARD

KEEP

MEDIEVAL

MOATS

MOTTE

POSTERN GATE

REDAN

SIEGES

TOWER

TURRET

VAULTS

VICES

Small

```
F R A Y H N P P W U G Y V
R I T T O E M R Y Y G G R
A N O T X U X E Q R N R M
W T M E Q N N A A Y I Q T
D D I P G S S G U N L R K
Z E C N G U C Y Z I G R N
M R Z J Y R T X J H G O M
I A F N A B S N L T I I I
N P V M H G I H E E N K N
O Q P S I F O S M I Y W U
R E F R L C R H A Q K O T
D P E E W E E T J Z N Q E
S C A N T Y U U J T I R V
S V E U U R I I F G D W C
A Q M C E D W B F C I Z J
```

ATOMIC

CRAMPED

DINKY

DWARF

ELFIN

KNEE-HIGH

MEAN

MINIATURE

MINOR

MINUTE

NIGGLING

PARED

PEEWEE

PETTY

SCANTY

THIN

TINY

YOUNG

The Casino

```
B T J D K T M O E I S R H
I G N I N N I P S Y P G Z
D N P E W V O M M P Q I G
O U O V K H W R I I I H Z
C H B I N H E D E L M H E
S O Y L R J A E U Z C K C
H T Y V X E Q R L D A B L
L J S X R L E P A T L L L
I B E P D I C E S A O A V
S V S X P G B V C R G A G
D F S U Z Z S K R A W N E
R L O G A Q J D R U J R Y
A R L M A A L T D E C K Q
C E X B C A Y F X O U R P
G N P K D E A L E R P J Q
```

BLACKJACK	NOIR
CARDS	ODDS
CHIPS	ROLL
CROUPIER	SHOE
DEALER	SPINNING
DECK	SPREAD
DICE	STAKE
LIMIT	WHEEL
LOSSES	ZERO

Musicals

```
O E N C E M O G A C I H C
C L C A N D E R E L L E P
J A I L H O U S E R O C K
S M S V W F A F I N R R R
C P A S E E T O O S Q Y W
O H E I R R I G I T B Q
M D R G T C I A N G J A G
P H M O H A I L L N I B S
A G M E S X H T A P W Y E
N M S S E C A F Y N N U F
Y S S J P F R V E R N K S
U I K P A L X O I U L I S
M M I M V R Y A O P F T E
L O E H S C H K Y G A Q N
A L L E R E D N I C E Q Z
```

ANNIE	GIGI
CATS	GREASE
CHESS	HAIR
CHICAGO	JAILHOUSE ROCK
CINDERELLA	MISS SAIGON
COMPANY	OLIVER!
CRY BABY	SCROOGE
FAME	SISTAS
FUNNY FACE	TOMMY

Delivery Service

```
K S S S E N I S U B T Z U
C R P I M K N K W E R C S
U A O K H T W E R O A D S
R I N S U R A N C E V E E
T V L T P D L S L F E H R
L U I G D E E A X Q L S P
X E N R N R C Y V A R D X
S V E V O I P I T L P F E
I S A T K W R S A P S Z D
S N S U W J O E Z L R Z V
S G V B K P S K D L E V G
P R I O R I T Y U R W O C
G Y N Z I Q N E T W O R K
U U K L R C M H K D L R D
I B F M K L E X S J F F W
```

ADDRESS

BUSINESS

EXPRESS

FLOWERS

GOODS

INSURANCE

INVOICE

NETWORK

ONLINE

ORDERING

POSTAL

PRIORITY

ROADS

SPECIAL

STORES

TRAVEL

TRUCK

VANS

Jesus

```
M A Q O N T J T R Z B I L
Q A D W Q C J J K B W H B
J F R I P R T K W S E T C
O H X Y S U O J I K R U A
S E C V Y C D M I F D D L
E R T H S I I L A R N R V
P O A G R F Z P O N A Z A
H D L S P I D J L G S S R
L W J V S X S G P E V E Y
A R O W T I N T B G S R R
I X H L A O M W O A Z M N
R G N L B N F O D L E O B
T Z F U L U N U N H N N G
O Q L K E V J M B Z B H M
D Z W E H T T A M M I B N
```

ANDREW	JUDAS
CALVARY	LUKE
CHRIST	MARY
CRUCIFIXION	MATTHEW
DISCIPLES	ROMANS
GOLD	SERMON
HEROD	SIMON
JOHN	STABLE
JOSEPH	TRIAL

British Monarchy Names

```
M W Z A L M E J J V Y C E
I G Z C H E U C L X K H N
X Y L H D N H E I C H A N
I G D W U Y B F I L S R A
D S A B E E F R M C A A A
B R G C I R E A N G U S H
D M N H W D D K Y V P E M
V R P P E K L N Y E N A I
P O K R F S W I A R I C T
S E F D A V I D Y L C Y V
E M T Z A C F U L P Z N F
M D K E T F J I O A A E C
A A X E R O W P R L S L I
J R R S F F Q A U G M E Y
S I N Y E T T O L R A H C
```

ALICE	HENRY
ANDREW	JAMES
ANGUS	LOUISE
ANNE	MARY
CHARLOTTE	PETER
DAVID	SARAH
EDWARD	SOPHIE
FREDERICK	WILLIAM
HELEN	ZARA

It is not the smallest use
to try to make people
good, unless you try at
the same time — and they
feel that you are trying
— to make them happy.
And you rarely can make
another happy, unless
you are happy yourself.

Dinah Craik

Think About It

```
E E F R W S X Y A D O T R
X S B E Q S C I N T Z P E
D I N F E E M A M O H R V
H A P N A S T U W G E E O
S R C I X S Z J S A L V E
T P K O R A M A S E B I R
U P Q E N G C L X E O E O
D A D P S T U P A Q R W P
Y N J U D G E R B R O O K
U G T N D C I M K K V S E
U G B L T N M N P D O M U
E S T I M A T E V L K R X
F O Y I R A W K V E A X C
D B N D R A G E R S N T P
Q D P V J R U M I N A T E
```

APPRAISE	JUDGE
ASSESS	MUSE
BEAR IN MIND	PORE OVER
BROOK	REGARD
CONTEMPLATE	REVIEW
ESTIMATE	RUMINATE
EXPECT	SOLVE
INFER	STUDY
INVENT	UNDERSTAND

Australia

```
S Y S D N O M H C I R N N
E A D E L A I D E Y A E Y
L K D U V X P E Z J C I N
G C M D B J E B A N P L T
N A E N U B Y W A E E R A
U M L A R Z O R R O Q O S
B N B L N O E T N K U O M
E T O S U P H O D F I G A
L F U N S L R V N Y L L N
G V R E E A U O Y H P A I
N G N E M U R R A Y I K A
U V E U U T M E U M E M I
B A P Q H O J V N O O S A
N Z K A A R R E B N A C E
V P M U V H Y Q P U P C H
```

ADELAIDE	MURRAY
BUNGLE BUNGLES	NOOSA
CANBERRA	NORTHAM
DUBBO	PERTH
ESPERANCE	QUEENSLAND
KALGOORLIE	QUILPIE
LEONORA	RICHMOND
MACKAY	TASMANIA
MELBOURNE	ULURU

All Points

```
C U O H D T Y H P B K F F
U N I L W F T S R G B N A
T G O J S I L E Z Y I T S
H G A B M J A O E R B R C
X A D I Z K N O H H K A T
E M L E I S E W L W O N V
X E E N C D P B J T N S X
T K G J E I I X B D A I E
R R E W O P M J Z M M T I
A T F E C L K A P E M I N
W E S T R A D L L L U O W
I E R W L V E P P T N N O
H N A G E S R G W I J O R
F M L K J I Z J B N U U B
I C G Q S Q V L Y G K F L
```

BREAKING	MELTING
BROWNIE	PENALTY
DECIMAL	POWER
DEW	SAMPLE
EXTRA	TRANSITION
GAME	TRIG
GOLD	VIEW
HIGH	WEAK
LIMIT	WEST

Druids

```
U K N D E M S E I R O T S
L H Q I O H U V Z Y S U B
N Y K D F E S T A R I E S
Y W S H G A K A O L C M G
R I T U A L S V S N A A R
W S K T Z I D S H G U L E
T E Y H C N P C I S L C L
Y E F M A G E C H A A I I
C M M W B R H E V C N G G
R E H P E O O Q Y R C R I
P S L M L R L N Q E I O O
A Y O T I E L S M D E V U
K N B S I H Y C F H N E S
Y E V H Z C A S Z Z T S X
J T I H D N I A H M A S Z
```

ANCIENT	MAGIC
ASH WAND	RELIGIOUS
CELTIC	RITUALS
CEREMONY	SACRED
CLOAK	SAMHAIN
GROVES	STORIES
HEALING	SYMBOLS
HOLLY	TEMPLE
LUGH	WISDOM

So Wrong

```
H C D M W A S T D Z V U H
M R R M L S L E X X D Y E
X O N G I S H A M E T L J
N O C M V J X N K H B C Y
D K A K E C J C S A V T H
D E U C G B I U N Y J I K
C D N E M W O O T W Q E V
I R F H G I S J K I T F I
W P I Q P A X N H R S R M
N B T M E S L A F E U E P
K F I S I F K S Z F J T R
H T N Q P N G I A I N N O
B U K N J L A J W X U U P
F A K E Q B D L R U M O E
M E D K M G E L Y H M C R
```

AMISS	HAYWIRE
AWRY	IMPIOUS
BAD	IMPROPER
COUNTERFEIT	MOCK
CRIMINAL	SHAM
CROOKED	UNFIT
EVIL	UNJUST
FAKE	UNSEASONABLE
FALSE	WICKED

Space Vehicles

```
K O T S O V Y Z L H I D D
L P R W K A J E M S A N F
C U D M M S I M A J R O Z
C G N L R R K T G O E Z J
X N X O A V Q Y E T N J U
L I P H K X N H L T E V H
R U E W X H K E L O V B S
E P N R O V O O A I N A C
G I H I E K P D N G K O J
A O U C K G D M T I L D K
Y N V I K I N G G U R T A
O E U U U H I A M N X G H
V E N L E D K B R G E I P
Q R R Q N E I J Q V O I U
B B H F M A N O I R O F L
```

ARIEL	*RANGER*
COLUMBIA	*SAKIGAKE*
GIOTTO	*SKYLON*
LUNA	*VEGA*
LUNIK	*VENERA*
LUNOKHOD	*VIKING*
MAGELLAN	*VOSTOK*
ORION	*VOYAGER*
PIONEER	*ZOND*

Canada

```
C R D K S G W O E H H Y U
T S E A X C O N E T Z E Y
D X N V I S W Q N N O K A
F I D L E I F S S O R C B
M C T W N L O R Z F T O N
P A E D B C S A F Y O H O
J N S A W A T T O T W E S
N O K U Y R N A O S J P D
R R N T E Y P W I K I U U
D A I B W N G B O F E K H
B N L N F A E L E L P A M
U A C R O G N A B A E S E
U E G V F A G L K G B K K
N O S B O R T N U O M W D
I U I N I U Q N O G L A F
```

ALBERTA	MOUNT ROBSON
ALGONQUIN	OTTAWA
BANGOR	PUKASKWA
CANORA	REVELSTOKE
CROSSFIELD	TSEAX CONE
HOCKEY	UNITY
HUDSON BAY	WINDSOR
KELOWNA	YOHO
MAPLE LEAF	YUKON

Things That Can Be Mined

```
X M S D N O M A I D S M T
R J U F I A G J E E M P N
S E W N R R M U T X W U I
M I P B I U N N A A W R L
J V L P A T B W L I O C F
P E V V O K A I S N T R A
P A Q T E C D L E T C F D
T T L T L R W H P S H D U
B L T L U A M Q Z K E M E
A V A X A T B Q O Y L E M
U H J S J D P O T A S H G
X J S W S T I U C A D O O
I X G C O A L U L Q A E L
T C B I L I O H M H E C D
E R T M U N E D B Y L O M
```

BAUXITE	MARBLE
COAL	MOLYBDENUM
COBALT	PALLADIUM
COPPER	PLATINUM
DIAMONDS	POTASH
FLINT	RUBIES
GOLD	SALT
IRON	SILVER
LEAD	SLATE

Wedding Anniversaries

```
B D B P S N X K A W E H B
U D O Z E L E L J O D V B
I R U D S C I I M O P Q P
W R L L A R P N P D S T E
Y O O L P A T E F I S N A
G O T N P J Y N L R G M R
W Y B E H T Z K O B E X L
W N R M I L A T S Y R C R
H W S X R J H T Y J I E K
A C J Y E C E E H U H U I
N T B W O E M S T T G K V
I I J T L L Z S A Q X E O
H U T D D U P E Y B S P R
C O R N U U L C N G V Q Y
N R N Y C D D L A R E M E
```

CHINA	LINEN
COTTON	PAPER
CRYSTAL	PEARL
EMERALD	SAPPHIRE
GOLDEN	SILK
IRON	STEEL
IVORY	TIN
LACE	WOOD
LEATHER	WOOL

"X" Words

```
X W P N X X H S I R Y X X
L D R C E O M N V P X O O
L N I N B L R A F Y S S T
X G O O X X K E S A E W V
L N U O H A G T X X U R A
D A X E O P U X R H E X R
B X I X S S I E S I E A H
X E J N A Q X X V T X N T
X N A A E M C A M L U T R
U E H X I X X G Y S N H A
W L M V X P B I Y I E O N
X Y L A N J O A E O Y S E
E X W I I S R L X M B I X
C C E B E X X O Y M X S G
X A M U I H T N A X X X X
```

XANTHIUM	XHOSA
XANTHOSIS	XIPHOID
XAVIER	XMAS
XEBEC	X-RAYS
XENARTHRA	XYLAN
XENIAL	XYLENE
XENON	XYLOPIA
XEROX	XYRIS
XERXES	XYSTUS

Inventors

```
D Q B E N Z R N O T L U F
F H N C Y T A I B C F G L
L G S R U D E O C Z P E U
E R R I V D Y A W H B R K
W E O J I A D E Z O T H F
P B F E L V O E N V J E B
D N S L D I O O X V C Z R
J E U L R N G B B O R D W
L T H J W C D E M I Y O N
R U K N T I L L P A V T K
I G T A T L O V T L T E X
Q W S J B H O M T S I Y F
L O A I P D Q C E E S O W
P R R T H G I R W T R A C
S O E Q T G Z X I D H C N
```

BELL	GOODYEAR
BENZ	GUTENBERG
BIRO	NOBEL
CARTWRIGHT	PERRY
COLT	RICHTER
DA VINCI	TESLA
DIESEL	TULL
FORD	VOLTA
FULTON	WATT

"Z" at the End

```
Z U Z P J Z T I R R A I B
N Z B G Z C P D S P I T Z
I E Z U H U L Q T M Z Y L
E I B I A A U N U Z V C P
H A N Z Z I Z T I D L O C
H T H M Z E R E J B S Z G
Z E Y O Z P W L C K I V Z
O S Z Z L Z Q A W Z R O X
K B H Z M U I Y L K J E Y
G Z Z B A C C F I T A Z N
Z T I L B O C B S J Z J T
S V Z Z R C B G F K Z J E
P U E T J U T Z M S C Z Z
K B E U T V L S S O Y U Z
Z Z F Z Z S L A P A Z T B
```

ABUZZ	JEREZ
BIARRITZ	KIBBUTZ
BLITZ	LA PAZ
BUCK'S FIZZ	OYEZ
CHINTZ	QUIZ
COLDITZ	SOYUZ
CORTEZ	SPITZ
HEINZ	SUEZ
JAZZ	WALTZ

```
I T Y G X B N T M N U M T
I R D R R E U O E I D J U
G O N E H D E R P K O C V
G L E T G V R L A P O I T
P L W E H E F E Q M H N N
I R D L K A N C N U G D A
N E L O C G N I K P N E I
O U D N K J D S E Z I R G
C N T W F D I T E C D E D
C A P S A D E G X L I L A
H Y M L I R I F O S R L B
I J A I P N V O T C D A A
O L S A G V M E L V E S V
H R N D L P F A S B R C L
T L U F I T C A Y S X Q M
```

ALADDIN

ALICE

CINDERELLA

DWARVES

ELVES

GENIE

GIANT

GRETEL

HANSEL

KING COLE

NUTS IN MAY

PETER PAN

PINOCCHIO

PUMPKIN

RED HEN

RED RIDING HOOD

TROLL

WENDY

Morality is not
properly the doctrine
of how we may make
ourselves happy, but
how we may make
ourselves worthy
of happiness.

Immanuel Kant

Rodents

```
H E R I S E A U O R M E W
C A S Y D M P G G U W R A
E Y G E L Y U G O R S H T
S J G O O Y O S F U A Y E
U U E C H P A M K M T Z R
O C K R H D Y C S R B I V
M W S E B S N T A P A H O
T L R Y G O E U P P W T L
S E F E H R A W O U E D E
E M T A R K Y G E R B I L
V M O E S E Y B L R G E V
R I M A F V V Y R K R L L
A N R V A I C A E I N A I
H G A C R M O L E R A T T
S I M R F S B Y H B F Q F
```

AGOUTI	HARVEST MOUSE
BEAVER	JERBOA
CAVY	LEMMING
COYPU	MARMOT
DEGU	MOLE RAT
GERBIL	MUSKRAT
GOPHER	PACA
GROUNDHOG	SEWER RAT
HAMSTER	WATER VOLE

Double "O"

```
G N I K O O L G W L R Q S
A K V O O H N T O O O C J
F O O N R O O V T G H O R
T O O L B O X O T O F E W
E P O R D N O P O Q K D S
R S O L A C Q N R O O M Y
N O E A I L E T O O K N L
O U R D O R Y C G D O B L
O G N K D O D H F Q A F S
N A L O O F B E T L R O O
B Y O A X O U O L O Y N O
O L O O I T W R O O O S I
B V O O S T O K W K O T R
B O Z N O O T S E F S C W
O L T X M B F A O O F C O
```

AFTERNOON	GOOD
ALOOF	LOOKING
BALLROOM	PROOF
BANDICOOT	ROOMY
BLOOD	SCHOONER
BOOKS	SPOOK
COOKER	TOOLBOX
COOLED	TOOTHY
FESTOON	WOOL

Types of Literature

```
D P H F Y Y N V K Z U V H
C E U Q S E R A C I P L Q
O F A L Z Q J J M R Q L P
M P G R S V I T O O I A Q
E Y A U E N U S N R R M B
D E S R E V E S P Q E P E
Y S I S E H T R V M Y O K
U P O E T R Y U D H C O F
Q G Q E A N R J P L E N N
D Y C V T I H A S X I N D
V F E S Y U R Q Q L Y H B
F L G R P G I F G E A P C
A P O L O G U E P V S U V
N T U I Q J C I K O S L X
G H B K E L C G Q N E P V
```

APOLOGUE	PICARESQUE
BIOGRAPHY	POETRY
CHILDREN'S	PROSE
COMEDY	PULP
CRIME	ROMAN
EPIC	SAGA
ESSAY	THESIS
LAMPOON	TRAVEL
NOVEL	VERSE

Fictional Places

```
W K K R O D N O G O G M E
B G R L D S T E P F O R D
F R U Y A H T C A Z E I Y
A L O E P F H L Y W B U T
L Z R B A T I A H M E Q I
M E Z C D R O O T L R L C
E N G E G I N N A H A I D
L D P N P C N D E L K A L
F A A F Y L R G A V N I A
M H F R E E D O N I A P R
S L X Q M K N V Z A C O E
K D T M O N F H W B G T M
E L E L H T O G O R D U E
E W O T R M U X H T E E Q
F G P W Z I Q Q K T H Q F
```

ALALI	HOTH
BROBDINGNAG	KLOW
CYMRIL	KRYPTON
EMERALD CITY	QUIRM
EMMERDALE	SHANGRI-LA
EREWHON	STEPFORD
FALME	UDROGOTH
FREEDONIA	UTOPIA
GONDOR	ZENDA

Canine Friends

```
A S A L K G O D V P N G K
B L P O M Y J C B L R T O
F A X Y H S U R B O E K Q
I P T A J Z H P L K Y A R
B D S L C O M B S F Z A D
O O T T I S C A P O L E V
M G L Y K H B P M L Y M I
U W P L E G K C O S C B T
V G A W A G W C T E H Q R
E W S H Y B T X H N C O A
T Z N L G H H A M O O G C
P E T T I N G V O B O F K
I A S D N A M M O C P A I
O N C K P A A E L V N T N
M C K K K T C A L Z M D G
```

BALL	LAPDOG
BASKET	LEAD
BONES	LOYALTY
BRUSH	PACK
CHEWS	PETTING
COAT	POOCH
COLLAR	TRACKING
COMB	VET
COMMANDS	WALKS

Links

```
D T S E G R E M U M V O X
T B H X C O N T A C T S R
Q S T N E M H C A T T A M
S S H M J U N C T I O N S
N E C B O S E I L L A N L
I S P O I H V H M B S J V
A I L S N C I R C U I T S
H A U K S N S S Z Y I C P
C I G Z K E E U G E Z Z P
B L S O T G B C S U S D Z
O I I I D Z D U T O M C I
C N N I T R P C N S G J V
D U R D S D N O B P F S Z
J B Y M S R E L A T E S Z
D E K F P N B Y O K E S A
```

ALLIES	JOINS
ATTACHMENTS	JUNCTIONS
BINDS	LIAISES
BONDS	MERGES
BRIDGES	PLUGS IN
CHAINS	RELATES
CIRCUITS	TIES UP
CONNECTS	UNITES
CONTACTS	YOKES

Camping

```
E R N A O Y G L E L F C D
T N M T Q S O E M J L B N
I A N L E E G F V E G W U
S E Y K A H Q R V Q V A O
T E A V A N S O I E L T R
Z T D C C R T Z P L B E G
S F E O F S O E M O L R P
K T N L C Z P U R X E C M
I E A F L Y N E T N P A A
L P P M A O R V U E J R C
L H O H C A C T Z B R R T
E W R H Z K A G N C N I O
T Y P M Y R E L T U C E F
G Y H A Z N F L N Y O R G
G N I K C A P K C A B C C
```

BACKPACKING	MATS
CAMPGROUND	POTS
COUNTRY CODE	PROPANE
CUTLERY	SITE
FIRE	SKILLET
FLAP	STAKES
FLY NET	STOVE
GRILL	TENT
LANTERN	WATER CARRIER

Fractions

```
J A R E D R O N H E M Z F
B I F I F A M J H T K Q R
R R E P O R P M I G H W A
O V H L W Q U A R T E R C
T V T H E G E V F N F D T
A Z N T C V D L E X G D I
N I O X T V E I Y Y W D O
I F I I V W T N V R N V N
M M L S T Q U O T I E N T
O I L A A K Z F N H D O J
N X I Z H J I D O U N E I
E E M D O F U R M J L I D
D D F Q T M S I M P L E T
Q C Y H T I V H O E Q H I
R T N I N T H T C Q Z M D
```

COMMON

DENOMINATOR

DIVIDED

ELEVENTH

FIFTH

FRACTION

HALF

IMPROPER

MILLIONTH

MIXED

NINTH

ORDER

QUARTER

QUOTIENT

SIMPLE

SIXTH

THIRD

TWELFTH

Lists

```
S S Z G O J R Z Y A K X H
U U T H E S A U R U S W X
S B L A C K L I S T R U E
N A Y R R T C M U O N V Y
E L E E H I A V H E W F I
C L X G T I F L M D U E J
E Y J D O T T F L D U F H
L S A E R F D P H Y S S A
B I B L I O G R A P H Y A
A T P J C I A W F R D X L
T V F K G Q N T N V A L G
R W E N C N E D O M O D N
W T E E H S D A E R P S E
M Z V J D I A R Y X B O V
U X G Z G C L E X I C O N
```

BIBLIOGRAPHY

BLACKLIST

CENSUS

DIARY

DOCKET

HIT PARADE

INDEX

LEDGER

LEXICON

MENU

ROLL

ROTA

SPREADSHEET

SYLLABUS

TABLE

TALLY

TARIFF

THESAURUS

Golfing Terms

```
E V E Z Y A E R E T T U P
K V G C U J P S U T U Z T
V X D Y N L T R D V E T P
E L E A N A Q N O I Q T F
K I W F G J T V H N L C M
O A D P G T G S F I H D O
R B F Q F Q A V T I D H F
T I V A H M A F P P R A Q
S F H D I L O S Q Z I N P
X S O G T E H E B G V D G
W F M L L O B R A S E I D
O K S G T E E O F F R C U
O C N K Y G S F G J F A D
D A H P O P H R U E W P F
A B G I M L E T L A Y Q R
```

ANGLE OF TILT	MASHIE
APRON	PUTTER
BOGEY	SHAFT
CHIP SHOT	SOLID
DRIVER	STANCE
FORE	STROKE
GIMLET	TEE OFF
HANDICAP	WEDGE
LOFT	WOOD

Opinions

```
E K H T X J H Y L M A N E
P N C H X C R X L E O P D
F O I K H O R R V I S W U
M E U R E F A I T H S S T
D O I H T V S A L N E U I
N H T L G C M A O I N R T
S Z N Z E I O I U Y T M T
A E D I T B S D K Z I I A
P N E S R U E Z K N M S N
B C E L L E H R D I E A L
C S N C R V X D M H N L X
E U N C A N O N C O T N W
Q O N F A F I N G I I E I
C Y C G X G U E S S I X Z
N S I S E H T Y D V V S A
```

ATTITUDE	GUESS
AXIOM	HUNCH
BELIEF	IDEA
CANON	MIND
CONCLUSION	SENTIMENT
CREED	SURMISAL
DOCTRINE	THEORY
ESTIMATION	THESIS
FAITH	VIEW

Inventions

```
S E W T Z H J T P R C B P
Z C N C O M P U T E R A L
P R R E S A L X M T U L E
F R A G L F W E S P H L T
W N I E D Y N A M O R P U
Z I H N P T R E V C A O H
Y R N B T A T E T I U I C
H I O A C I T F T L R N A
O P P Z D I N H O E A T R
M S P R M I T G C H D P A
W A O K K U L S P T I E P
H C R Q C S P Z A R O N A
E B T E N O H P L L E C U
E V W C V E L C R O P S S
L D R T W P S C S T M T S
```

ASPIRIN	LASER
BALLPOINT PEN	PARACHUTE
CELL PHONE	PLASTIC
CEMENT	PRINTING PRESS
CLOCK	RADIO
COMPUTER	SCOTCH TAPE
CORDITE	TERYLENE
DYNAMO	VELCRO
HELICOPTER	WHEEL

```
N E D L A W S B E E T X X
Q H J J O V Q M H O A P M
B X I S U N M A Z H P B E
P E R S U A S I O N O X M
N M T S L M V H U A L Z O
E Y M S E A M R I V O X R
V K D K I V S E D I G L F
A N W W D W I T R U Y Q N
R W L I C Q T W B T N X A
E O A L U C A R D O I E H
H I O C A R R I E I W M T
T M N T K M A Z V V M V E
F S I E S T Z J S D I Z J
V I M P E R I U M J F L G
V O W A L D A M G I N E O
```

APOLOGY	IMPERIUM
CARRIE	IVANHOE
DEENIE	MIDWIVES
DRACULA	OLIVER TWIST
DUNE	PERSUASION
EMMA	ROOTS
ENIGMA	SUMMERTIME
ETHAN FROME	THE RAVEN
HIS LAST BOW	WALDEN

Once more I realized to
what an extent earthly
happiness is made to the
measure of man. It is not
a rare bird which we must
pursue at one moment
in heaven, at the next in
our minds. Happiness
is a domestic bird found
in our own courtyards.

Nikos Kazantzakis

Slot Machine

```
E W W X W Q S H U S D Y Q
C A R O U S E L P U R F W
T Z K S T Q O F E L O A U
M E E G N A H C X E A P B
R S Z S T I U R F S R M E
O K U R F R O E E Y V N S
L E T N E W A C S D I M G
L B S P O T E K R L B F B
U W E D U B I G Y X L G F
P A N R D U E A D S P E D
T I E Z Z S P D B U K U B
W S P L T L L X A P N S C
K O J A G O E A X C Q Y P
U K R E U T Z X E Z R V X
T T G J V S M U L P B A U
```

ARCADE	NUDGE
BARS	PAYLINE
BELLS	PLUMS
BONUS	REELS
CAROUSEL	REPEAT
COINS	ROLL-UP
EXCHANGE	SLOT
FEATURES	START
FRUITS	WINDOW

Double "N"

```
C Y O N N Z T E N N U P M
C N N S N G I S O L G I Q
Q D F S C N I N I G N H R
N U N L A X B H N N C N E
U W E N N V R C O I G Y D
G B H S H E A W G N A T E
Y R Y I T A N N I C N I C
R R N D N I I Y N I Z U I
I S W N N N Y N S F H N O
N K I U N N N C N U W A N
N N C A L A A E T A N K N
A Y N N M I T N K S I N U
P N T Z A N T E N N A R Y
L E N N O S R E P Y S C E
```

ANNOYING	PERSONNEL
ANNUITY	PUNNET
ANTENNA	QUESTIONNAIRE
CINCINNATI	SAVANNAH
CUNNING	SUNNY
KENNEDY	TANNERY
MINNOW	UNNOTICED
NANNY	WHINNY
PANNIER	ZINNIA

"Z" Words

```
Z W R C V Z Z Y P V R O Z
V Z N I Z A U A P A C R H
F I A I N N I Z B A Z C S
Z Z Y G O T E I T E L T Z
T E G Z P I Z N N I R U I
Y Z A E Y N A O Z Z E Z Z
Z I Q L A Z I H T I N E Z
Y M W Z A L G Z I V P Z T
L M R N G N A B B P E O D
G E S A Y G D R E Z T N H
Z R B L R D D L B S M A M
S A Z E R O I N G E H L Q
Z Z B P N N O Z Z I Z C D
H A I R A H C E Z A I R E
Z E Z I R C O N I U M R Z
```

ZABAGLIONE	ZEPPELIN
ZAGREB	ZEROING
ZAIRE	ZILCH
ZANTAC	ZIMMER
ZANZIBAR	ZINC
ZEALAND	ZINNIA
ZEBRA	ZIRCONIUM
ZECHARIAH	ZONAL
ZENITH	ZYGOTE

Soft

```
T D V V B O W T Y N G R D
E E Y K H Q Z Z P E W E L
C S D B F D Y F L O T T I
L T Y E U T E T U Y H T M
U N Q M E T N T P T Q U W
D B E V P E R Y U U D B Q
K X L K G A L D I L H R N
Y E I A L E T E P V I V M
V N W Y N I T H W L L D Y
D C A I H D S T E K E Z S
Z S E V S S E Q V T D J W
C N Z M I N U T D O I X R
T R J T D X H M W Y P C F
Q F I E I Q W N M I S T Y
T H R M X L Y F F U L F I
```

BLAND	MILD
BUTTER	MISTY
DILUTED	MUSHY
DOWNY	PULPY
DULCET	QUIET
FLUFFY	SILKEN
GENTLE	SYMPATHETIC
KIND	TENDER
LENIENT	VELVETY

Juicy Fruits

```
I  H  A  V  A  U  G  K  M  R  E  J  S
L  I  P  P  L  E  I  O  S  T  A  M  D
G  H  W  Q  B  W  R  L  A  K  X  E  W
U  A  U  E  I  A  R  N  J  M  H  G  P
T  Y  C  P  N  W  A  G  O  Y  C  M  V
T  A  R  G  U  R  S  Y  R  M  A  P  U
O  P  E  R  G  J  G  R  O  N  E  E  E
C  A  D  E  E  R  E  W  G  G  P  L  L
I  P  M  V  O  B  H  O  E  Z  N  T  P
R  O  K  L  N  P  E  Z  A  O  E  A  P
P  J  E  A  K  H  S  U  L  E  P  U  A
A  M  R  X  T  G  G  E  L  E  A  P  E
B  C  Y  A  X  Y  M  V  W  B  R  G  N
C  N  E  C  T  A  R  I  N  E  G  T  I
E  M  I  L  E  A  K  D  Q  F  N  V  P
```

APRICOT	MELON
BLUEBERRY	NECTARINE
CRANBERRY	ORANGE
GRAPE	PAPAYA
GUAVA	PEACH
KIWI	PEAR
LEMON	PINEAPPLE
LIME	POMEGRANATE
MANGO	UGLI

Can't Keep a Secret

```
R M O F H C F R A K I S N
P Y F I T O N B E B I D T
Z F A D M I T F B V I S H
B Q J G T P B S B U E D R
V X Z E H E A X Q F E A Z
N Q L D T L F R I I R Q L
N L C R I S D N T M A S U
E M A J E L A R F P N D Y
L Y W G O M I C F L S E R
E G G F O N X N D Y N C J
V X N X F H P N O A E L P
I U P O Y S K I B G O A Q
N L R O T Z A U O R K R S
C M S X S E E R D J B E B
E P X Q E E L A C J U B D
```

ADMIT	INFORM
BETRAY	LEAK
BROADCAST	LET ON
DECLARE	MANIFEST
ENSNARE	NOTIFY
EVINCE	REVEAL
EXPOSE	RUIN
IMPART	TELL
IMPLY	UNFOLD

Whatever the Weather

```
E J B K T Y M G Y L T T R
G T T O U S L R K Q E R R
U U K Y U H A S O M E W M
L O N Z P A G C H T L U Q
E A D G Z H S S E O S G P
D E A A P S O M K R W Y D
H L F K N M O O J H O E C
E T Z A K R R G N N C F R
W X U A A E O Q T R J P X
H Z O B D Z Z T R R I F H
E W I N D Y S P L W A A W
M J U P I T U Z P X J H F
S H E R E H P S O M T A C
T R A A H A K Z U D I Z M
W U U E N I H S N U S Y Y
```

ATMOSPHERE	SHOWER
BAROMETER	SLEET
CHART	SMOG
DELUGE	STORM
FAIR	SUNSHINE
FORECAST	THUNDER
GALE	TORNADO
HAAR	TYPHOON
HAZY	WINDY

Tickets

```
T S B V X U N O F Y J I E
Z C V C Q R Y N N C D G F
C I R C U S L R I E D C M
V E Y T Q P N N R I W W C
G U E L B X E C R E F A E
T R W J B M P B F T F C Y
M O Q J A C L A I L N L S
U S M X T L F Y R A W L Q
S T Z B O Z A B D K R N N
E A B T O W A I R L I N E
U R D Q L L W B E A S N V
M J X I C H A C R X V U G
Y R A R B I L T W Y F H H
F R I A F N U F D K C J O
E N A L P Z C O N C E R T
```

AIRLINE	MUSEUM
CINEMA	ONE-WAY
CIRCUS	PARKING
CONCERT	PLANE
DANCE	RAILWAY
EUROSTAR	RETURN
FERRY	TOLL BRIDGE
FUNFAIR	TOMBOLA
LIBRARY	TRAIN

"THREE..."

```
P F A T H J X H S Z S E S
O D D J H I K T X L E N G
I L M E T H R U J S G F I
N A K I G I G L B R O I P
T N E E K N U P J E O F E
T O Y E S Y O S S E T O L
U I S Q D G V R E H S U T
R S Q N T N N N P C Z R T
N N W A G P I I M F E T I
S E C A R G T K H S E I L
R M E P B J L E A T N M P
W I S E M E N H N F R E K
H D A T M O P Q D O O A J
D R U B D E C K E R R F F
S U T M K H P B D Q L S T
```

BEARS

CHEERS

DECKER

DIMENSIONAL

FARTHINGS

FOUR TIME

GRACES

HANDED

LITTLE PIGS

OF A KIND

PHASE

PIECE SUIT

POINT TURN

PRONGED

STOOGES

STRIKES

TENORS

WISE MEN

Sold in Boxes

```
S S X S I R F E P V D K E
B Z D Q S N E R R A M N S
Y E T N K E W P T X I G C
W L S A A O U E A W L Z S
D A E E B B S S K P B A I
Q E S H P L R W S E R A D
S R K H G O E E V I N E R
G E C B E W L T B N T R E
A C P R T R P E S B C N T
B P E P A C S Q V A U W U
A I N A C C P X K N Y R P
E K C O U E K E C E E T M
T E I S N R S E G G S U O
W U L S C I G A R S W L C
D U S B E W B I O S N L N
```

CAKES	PENCILS
CEREAL	PENS
CIGARS	RUBBER BANDS
COMPUTER DISCS	SOAP
CRACKERS	TABLETS
DATES	TEA BAGS
EGGS	TISSUES
ENVELOPES	WASHERS
PAPER	WINE

Irregular Verbs

```
T T J K W B K K C D K T E
C V G A H E Y D O C Z H T
K N A T S N R O Q O A G D
O O D O P A K D S O T U W
Q T N E W R E D N U S A U
U H W B V V Z E N T S C N
Y E N E Q O I P R U D N O
J R O W R W R E Y D L L B
S T U C K G N D I W E R E
K E J O G A X A S R H O I
A N F L A I P M A O H L U
D G E E D E L N O S T H M
Y F C W R U G E I E I W O
T N E P S R E V O E W O B
E N I V I V Z T A R B N C
```

CAUGHT	ROSE
DREW	SAW
DROVE	STANK
GREW	STUCK
KNEW	TOOK
MADE	UNDERWENT
OVERSPENT	WERE
PREPAID	WITHHELD
RANG	WON

Solutions

1

2

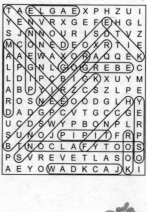

3

4

5

6

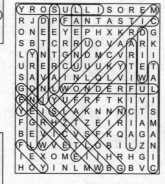

7

8

Solutions

9

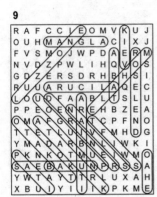

10

11

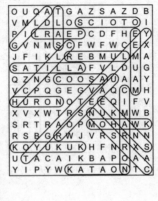

12

13

14

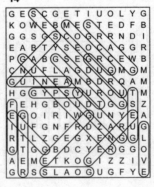

15

16

17

18

19

20

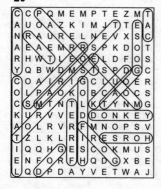

21

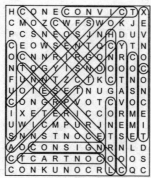

22

23

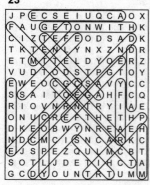

24

25

26

27

28

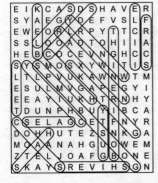

29

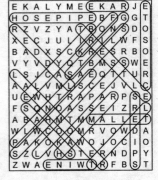

30

31

32

Solutions

33

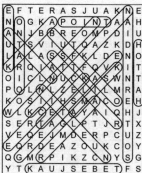

```
E F T E R A S J U A K N E
N O G K A P O I N T A A H
A N J B B R E O M P D U
L A L A S S F K L D E N O
K R Q I A T F O V R T T
O I C L N U C R A S W N T
P O L N L Z E L L M R A
K O S I H S M A C O E H
W L K C E T A Y A I T X T
S E R T A G L P T J R U
V E Q E J M D E R P C U O
E Q R D E A Z O U K C O Y
Q G M R P I K Z C N Y S G
Y T K A U J S E B E T F S
```

34

```
R Z W F T B N Y H N Z I I
E P E R U S E R V Q A J R
E V F U O R K W E H B C I
L U I B E I F H P C U N S
O E X G K D R K E G S U S
H W A A A K Y V G P V I U
L R T S M X I Q E V B O D
D P E N Y E L C T Y I Q G
Y W S Z C W T A F N A E T
O A D R H Q S F W N A Z W
Q G E S V N E W Y E A W
I P L T N S K O Q J R G
L F U E B K C Z Y B A V N
K D L O H E B S O P T C B
Y P X C W D O D E C S J B
```

35

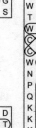

```
S N O I T A S R E V N O C
A G L I M T K L G A M E S
W K H D I N I Q M G G E I
T A E K I G N D P E Z S L
W I R E L E S S Y E I R G
C A C A L L L O G G I N G
C E M O C R B X N S I C S
W T L N V O E A W L P Q M
N P E L W E L K L N P F E
P S G X U S R I A L A R M
Q M P P T L B A S E A O O
K A Y C S I A W G B Z R M
K R Y R L S N R C E M S Y
K T P K I J C G P U P O T
W G O E T A N I M U L L I
```

36

```
C M L E Q D S X N Z I K D
N A W V S T T D T R E N T
D E N V T O B H P E T F S D
E A X U T O C S J M P A F
I R R K E U L S E L W
R P C E O R M Y M U E F
S N J O T M U R A L N N I
H G A C S Z C A C E S I
O M E W E N T T M P S U B
L R U M Q D V E Y X R M K
M H X L E K J Z C E Q N I N
T S F I N D H O R N E P
D O V E Y P I C E K N C S
E Y W H L Y M T Y E P L X
```

37

```
E G Y C L S B A C F E A Y
H R U A H N A H N G A E E
T U O U H R J A D S S B
S O S S G N I O Y T L E G
O Q K O A U R C E E E H E
S O U T H B A N K H N B
H Q O A R T R R P L D C E
Y W G E R C E A D T A V N
N M W G O E T B O S M N N
T O H C D O M C M M M R E
T T F S N O A I A U E I
O W M E W M R L B D N O
X W C N D H R R Y E F B G
W W K E E Y O T A C W O U
P A N D X S T X V H D F V
```

38

```
G H R Z U W Q P D X T D S
A L A M E N I C G E H U
R A D Q I V B V R Y C U Y M
G E X X E Z A R K T G T E
E P Y F P M O T E L U B R
F O R T R E S S U N H M H
J T B E K T G K I A Y Q O
C M P E W I S V C R Y U
C U A C H O E S A E R F E
S I N N I R T R B O I I X
Z G N K S N B B I O A A F
Y W W I M I A Q Z L D D T
Y T T L J Q O T W G T T D
V Y S A F C G N V I L L A
```

39

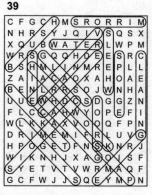

```
C F G C H M S R O R R I M
N H R S Y J Q I V S Q S X
X Q U B W A T E R L W P M
W R S G Q Q H D E S P L C
B S H M L N M R E P O A L
Z A A C A O X A H O A E
B E N L R R S O J W H N G
U U E M H O D S D E G Z
F L C A W Y O P E H I A N
W L K K A X V O O Q F P N
D R I M E M I F R L U V G
H P O G E T F N S K N R J
W I K N H J X A G O I S F
S Y E T V T V W R M A E X
G C F W J J S Q E Y M P N
```

40

```
G P F N Z U R O A H U K M
S O L D E N T U K V C Y X
T W S G I I W U X A K V
Q D M A S E H C A L Z R A
N E A H U T I S G S A O S
R Y M A S L Z O L D G V
T M K I U A G V O V U K P
R O W G C G E B D B A M R
A U S V C P D R B N X W D L
G N E M X A A V O R I A Z
F T I U N B G V U H F O H
P A T D G M P S L G C M
O I T Y F D A T E P E N Z
H N E H G A T L A L B C D
C R R A U R I S W D N C R
```

Solutions

41

42

43

44

45

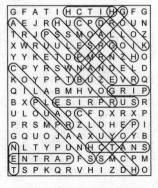

46

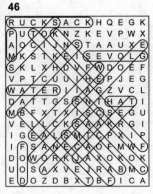

47

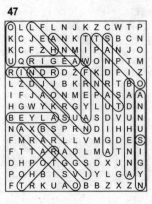

48

49

50

51

52

53

54

55

56

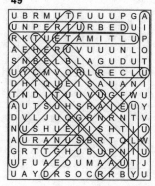

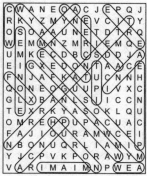

Solutions

57

58

59

60

61

62

63

64

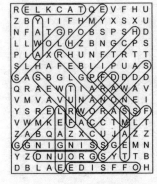
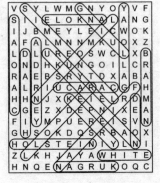

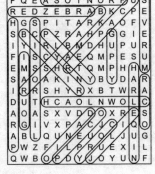

Solutions

65

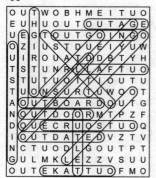

66

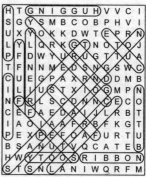

67

68

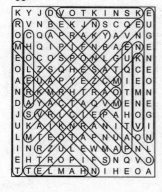

69

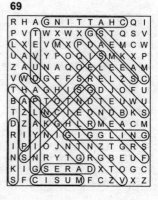

70

71

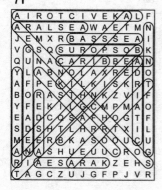

72

Solutions

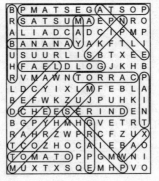

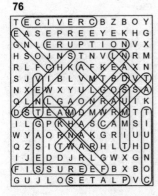

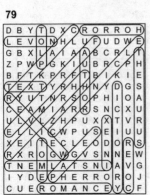

73

```
G F N B I J E B L G I C Y
V P C A R P A L A M S W F
Z S P J L N T K S U N R R
X U A S T O U L R I U A L
S E C N Z Y I W H A R U U
I L E C K D X B S A S O T A
V L E T A L T A I S O T E U
E M K A R U Y E K Y A G E W
P M Z P V B F H F U I Q C L
S P H E N O I D Q L I I Q T
B L Z Z K X C L Y N L R T
F E N O B W A J I A J A N V I
U S B I R Y X R H U X I L
N P A D C C D X D I M J L
```

74

```
E C Z R O M C O K V N V J
N F P N E T I Q O G K A X
K I M E L L O W E T A B Z
A S E W U W A N S R F Y D
P R E L V P A X X N T T D A
M E C I O G V N E D A X T
A E Y A B L H J C D N W C
U A D A E E C T N R O H H
P A Z I R P R W U O E O
G A F F T P C A D L Y G U
R Z V C B A H S L D R M L
O P A R T S Q E I F E U
O M A F N O J K Z S W L
Y L L K C O M M U N E R R
```

75

```
B P M A T S E G A T S O P
R S A T S U M A E P N R O
A L I A D C A D C I P M P
B A N A N A Y A K F T L
S U U R L I S B X E E
H F A E L D L O G J K H B
R V M A W N T O R R A C P
L D C Y I X L M F E B L A
B E F W K Z U J P U H K I
D C H E E S E R I N D E N
B G P Y H M H G V E T R T
R A H R Z W P R C F Z U X
T C O Z H O C A I E B A O
T O M A T O P P G M W N I
M U X T X S Q E M H P V O
```

76

```
T E C I V E R C B Z B O Y
E A S E P R E E Y E K H G
G N L E R U P T I O N V X
H S O J N S T N V I N R M
R L F C H K A F K E A X N
S J V I B L V M T B D V T
N X E W X Y U L G O S S A
Q L N L G A O N R A U I K
D S T E A M D M W R M T
I I L G P K H A S C A M S I U
W Y A O R N A K G R I U U
Q Z S I T M A R H L T T N
I J E D D J R L G W X G N
F I S S U R E E F B X B O
G U J L O S E T A L P V C
```

77

```
D R A L I Z A R I N E X W
O E E K N E K X Y B M G A
U N Y D P H A H Y L A K Q
L I C B W P N Z D Y L D T
B G A X U O S S D S F C O
B N R I S R O N U O J A F
B E M M N V U D R R B P N
H E I A K Z E T O A I F I
O R N E X C R N N G N W N
C T E C E C M N E N N X Y
W F N R R H I B L U B F C
A D I D C I A M L B H F C
D S T U I A I N U O R A E
E S M H L A Q A K N O D N
A H N C N K N J Q P L D F
```

78

```
I Z S L A T J K J V C E T
C D C W R M Y J O S T N L
A I F A Q U B N R M U A P
R P A A L H K E B H B L D
U A M A F V H X R G E N I
S Q I V L T A O M O A I O
X Y L A O N R E U N G U R
I U E B W E N S Y C A A F G
V D M Y V A I E G I D S
A I N S X D Y W P X O X A
Y I O S A L O M E A L S L
L R Z R L R Y T Q O U M N
G Z A R V L E D X D N W T
H P V E O L A B E L L A S
Z S E N U D H M H T T B M
```

79

```
D B Y T D X C R O R R O H
L E V O N H L U F U D W E
G B X L A I A A B C R L T
Z P W P G K I A F E A E
B F T K P R F T B I K I H E
T E X T Y R H H N Y D O X
R X U T N R S O P H I O X U
C E A M I A R R S O C X V
U L V L Z H P U X X T U U
E L L C W P U S E I V U
X E I T E C L E O D O N
R X R O G W G V S N N E V
T N E M L A T S N I A O C
I Y D E P H E R R O R O J
C U E R O M A N C E Y C F
```

80

```
P T X Y P P A R C S P P Y
P R K K U G H R S S D E H O
R I S A L C C D E C X N J M
I L B T E E N O T S N I W
N E U M I J O Y U S Y H G
C B R X W E D P J P E A R
E A I K J Y W T P B M H Y
S D P Q D G R S F R R A C
S I A A R C H A R L I E X
C P L Y D S K M S Y Z L T
R H S B O A F A L E B U Q
A B E I B U N N N T A O G
E S R E M O Y T E G E O T
B R H E Y B Q H Z P E Z K
W S F V U S A A T R L L N
```

Solutions

81

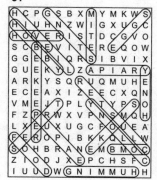

82

83

84

85

86

87

88

89

90

91

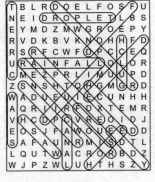

92

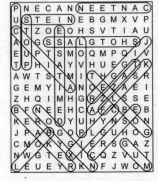

93

94

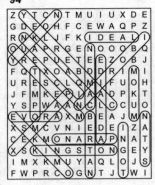

95

96

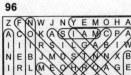

Solutions

97
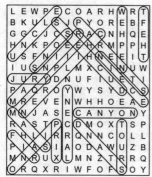

98
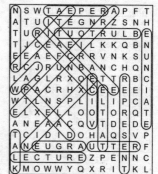

99

100

101
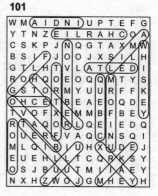

102

103
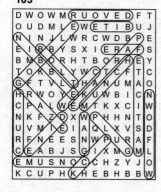

104

Solutions

105

106

107

108

109

110

111

112

Solutions

113

114

115

116

117

118

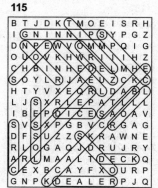

119

120

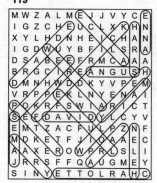

Solutions

121

```
S Y S D N O M H C I R N N
E A D E L A I D E Y A E Y
L K D U V X P E Z J C I L
C N M D B J E B A N P L T
N A E N U B Y W A E E R A
U M L A R Z O R R O Q O S
B N B L N C E N K U O M A
E T O S U P H O D F I G A
T V R E E A U O Y H P A N
N G N E M U R R A Y I K A
U V E U U T M E U M E M I
B A P O H O J V N O O S A
N Z K A A R R E B N A C E
V P M U V H Y Q P U P C H
```

122

```
C U O H D T Y H P B K F F
U N I L W F T S R G B N A
H G A M J A O E R B R C T
X A D I Z K N O H H K A T
E M L E I S E W L W O N X
X E E N C D P B J T N S E
T K G J E I X B D J J M M
A R E W O P A J M M T I N
A T F E C L K A P E M I T
W E S T R A D L L U O W E
I E R W L V E P P S J O R
H N A G E S R G W I J O U
F M L K J I Z J B N U U B
I C G Q S Q V L Y G K F L
```

123

```
U K N D E M S E I R O T S
L H Q I O H U V Z Y S U B
N Y K D F E S T A R I E S
Y W S H G A K A O L C M G
R I T U A L S V S N A A R
W S K T Z J D S H G U L F
T E Y H C N P C I S L C I
Y E F M A G E C H A L I G
C M M W B R H E V C N O I
R E H P E O O Q Y R C I V
P S L M L R L N Q E J P D
A Y O T I E L S M D E U E
K N B S I H Y C F H N E S
Y E V H Z C A S Z Z T S X
J T I H D N I A H M A S Z
```

124

```
H C D M W A S T D Z V U H
M R R M L S L E X X D Y E
X O N G I S H A M E L J
N O C M V J X N K H B C Y
D K A K E C J C S A V T H
D E U C G B I U N Y I I K
N I R F H G S J K I T F I
W P I Q P A X N H R S R R
N B I M E S L A F E U T N
K F L S I F K S Z F I A U
H T N Q P N G I A L X U O
B U K N J L A J W X U P P
F A K E Q B D L R U M O C
M E D K M G E L Y H M C R
```

125

```
K O T S O V Y Z L H I D D
L P R W K A J E M S A N F
C U D M M S I M A J R O Z
C G N L R R K T G O E J U
X N X O A V Q Y E T N J U
L I P H K X N H L T E V H
R U E W X H K E L O V B S
E P N R O V O O A N A C
G I H I E K P D N G K O J
A Q U C K G D M T L D K
Y N V I K I N G G U R T A
D E U U H J A M N X G H
V E N L E D K B R G E I Y
Q R R Q N E J J Q V O I U
B B H F M A N O I R O F L
```

126

```
C R D K S G W O E H H Y U
T S E A X C O N E T Z E K
D X N V I S W Q N N O R K A
F I D L E I F S S O R C B
M C T W N L O R Z F T O N
P A E D B C S A F Y O H O
J N S A W A X T O T W E S
N O K U Y R N A O S J P D
R R N T E Y P W K I U U
D A I B W N G B O F E K H
B N L N F A E L E L P A M
U A C R O G N A B A E S E
U E G V F A G L K G U M B
N O S B O R T N U O M W D
I U I N I U Q N O G L A
```

127

```
X M S D N O M A I D S M T
R U F J A G J E E M P N I
S E W N R R M U T X W U I
M J V L P A T B W L I O C
P E V V O K A I S N T R A
P A Q T E C D L E T C F D
T T L L R W H P S H D U
B L T L U M Q Z K E M E
A V A X A T B O O Y L E M
U H J S J D P O T A S H G
X J S W S T I U C A D O O
I X G C O A L U L Q A E L
T C B I L I O H M H E C D
E R T M U N E D B Y L O M
```

128

```
B D B P S N X K A W E H B
U D O Z E L E L J O D V B
I R U D S C I I M O P Q P
W R I D A R P N P D S T E
Y O O L P A T E F I S N A
G O T N P J Y N L R G M R
W Y B E H T Z K O B E X L
W N R M I L A T S Y R C R
H W S X R Z J H T Y J I E K
A C J Y E C E E H U H U I
N T B W O E M S T T G K V
I I T L L Z S A Q X E O
H U T D D U P E Y B S P R
C O R N U U L C N G V Q Y
N R N Y C D D L A R E M E
```

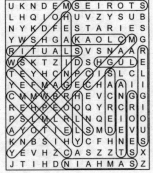

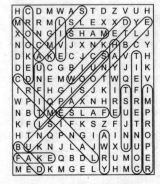

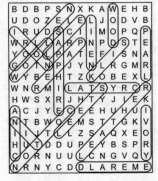

129

130

131

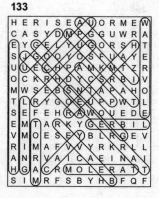

132

133

134

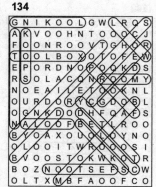

135

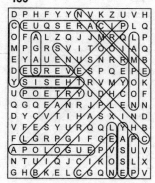

136

Solutions

137

138

139

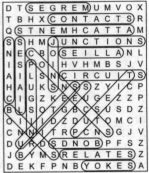

140

141

142

143

144

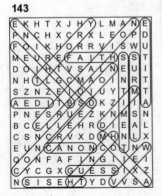

Solutions

145

```
N E D L A W S B E E T X X
Q H J J O V O M H O A P M
B X I S U N M A Z H O X E
P E R S U A S I O N L Z O
N M T S L M V H U A L M R
E Y M S E A M R I V O X F
V K D K I V S E D U G L F
V W D W T R U Y Q N
R W L I C Q T W B T N X A
E O A L U C A R D O E
H I O C A R R I E N W M T
T M N T K M A Z V V M V E
F S I E S T Z J S D Z J
V I M P E R I U M J F L G
V O W A L D A M G I N E O
```

146

```
E W W X W Q S H U S D Y Q
C A R O U S E L P U R F W
T Z K S T Q O F E L O A U
M E G N A H C X E A P B
R S Z S T I U R F S R M E
O K U R F R O E E Y V N S
L E T N E M A C S D I M G
B S P O T T O B G X L G F
U W E D U B J G Y X L G F
P A N R D U E A D S P E D
T E Z Z S P D B U K U B
W S P L T L L X A P N S C
K O J A G O E A X C Q Y P
U K R E U T Z X E Z R V X
T G J V S M U L P B A U
```

147

```
C Y O N N Z T E N N U P M
C N N S N G I S O L G I Q
Q D F S C N I N I G N H R
N U N L A X B H N C N E
U W E N N V R C O G Y D
G B H S H E A W G N A T E
Y R Y I T A N N I C N I C
R R N D N I Y N I Z U I
N E C E N O N N A R N T
I S W N N M Y N S F H N
N K I U N N C N U W A N
N N C A L A A E T A N N
A Y N N M I T N K S I N U
P N T Z A N T E N N A R Y
L E N N O S R E P Y S C E
```

148

```
Z W R C V Z Z Y P V R O Z
V Z N I Z A U A P A C R H
Z Z Y G O T E I E L T Z
T E G Z P I Z N N I R U I
Y Z A E Y N A O Z Z Z J
Z I Q L A Z H T I N E Z
Y M W Z A L G Z I V P Z T
L M R N G N A B B P E O D
G E S A Y G D R E Z T N H
Z R B L R D D L B S M A M
S A Z E R O I N G Z A X A
Z Z B P N N O Z Z I Z C D
H A I R A H C E Z A I R E
Z E Z I R C O N I U M R Z
```

149

```
T D V V B O W T Y N G R D
E E Y K H Q Z Z P E W E L I
C S D B F D Y F L O T T M
L T Y E U T E U Y H T U
U N Q M E T N T P T Q U W
D B E V P E R Y U U D H
K X L A G A L D I L H R N
Y E T A L E T E P V I X
V N W Y N X T H W L L D Y
D C A I H O S T E K E Z S
Z S E V S E Q V T D J W
C N Z M I N U T D O I X R
T R J T D X H M W Y P C F
Q F I E I Q W N M I S T Y
T H R M X L Y F F U L F I
```

150

```
I H A V A U G K M R E J S
L I P P L E I O S T A M D
G H W Q B W R L A X E W
A U E I A R N J M H G P
Y C P N W A G O Y C M V
A R G U R S Y R M A P U
P E R G J G R O N E E E
A D E E R E W G G N G L
P M V O B H O E Z N P
R O K L N P E Z A O E U
P J E A K H S U L E P U A
A M R X T G G E L E A E N
B C Y A X Y M V W B G T P
C N E C T A R I N E G T
E M I L E A K D Q F N V P
```

151

```
R M O F H C F R A K I S N
P Y F I T O N B E B I D T
Z F A D M I T F B V I S H
B Q J G T P B S B U E D R
V X Z H E A X Q F E A Z
N O L D T L F R I T R Q L
N L C R I S O N T M A S U
E M A J E L A R F P N D Y
L Y W G O M I C F L S R A
E G G F O N X N D Y N C J
V X N X F H P N O A E L P
V I U P O Y S K I B G O A Q
N L R O T Z A U O R K R S
C M S X S E E R D J B E B
E P X Q E E L A C J U B D
```

152

```
E J B K T Y M G Y L T R
G T O U S L R K Q E R R
U U K Y U H A S O M E W
L O N Z P A G C H T L U Q
E A D G Z H S E O S D
D E A A P S O M K R W Y D
H L F K N M O O J H O E C
E T Z A K R G N N C F R
W X U A A E O O T R I F K
H Z O B D Z Z T R R I F H
E W I N D Y S P L W A A W
M J U P I T U Z P X J H F
S H E R E H P S O M T A C
T R A A H A K Z U D I Z M
W U U E N I H S N U S Y
```

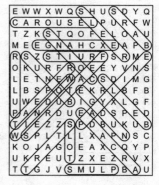

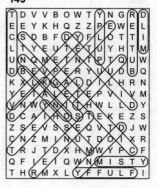

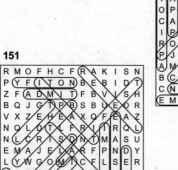

Solutions

153

```
T S B V X U N O F Y J I E
Z C V C Q R Y N N C D G F
C I R C U S L R I E D C M
V E Y T Q P N N R I W W C
G U E L B X E C R E F A E
T R W J B M P B F T F C Y
M O Q J A C L A I L N L S
U S M X T L F Y R A W L Q
S T Z B O Z A B D K R N N
E A B T O W A I R L I N E
U R D Q L L W B E A S N V
M J X I C H A C R X V U G
Y R A R B I L T W Y F H H
F R I A F N U F D K C J O
E N A L P Z C O N C E R T
```

154

```
P F A T H J X H S Z S E S
O D D J H I K T X L E N F
I L M E T H R U J S G I G
N A N E E K N U P J E O P
T O Y E S Y O S S E T O L
U I S Q D G V R E H S U T
R S Q N T N N N P C Z R T
N W A G P I I M F E T I L
S E C A R G T K H S E L
R M E P B J L E A T N M P
W I S E M E N H N F R E K
H D A T M O P Q D O O A J
D R U B D E C K E R R F F
S U T M K H P B D Q L S T
```

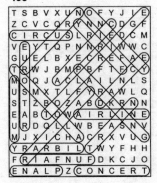

155

```
S S X S I R F E P V D K E
B Z D Q S M E R R A M N S
Y E T N K E W P T X I G C
W U S A A O U E A W L Z S
D A E E B B S S K P B A I
Q E S H P I R W S E R A D
S R K H G O E E V I N E
G E C B E W L T B N T R E
A C P R T R P E S B C N T
B I P E P A C S Q V A U W
A K I N A C C P X K N Y R
E I C O U E X E C E E T M
E T I S N R S E G G S U O
W U L S C I G A R S W L C
D U S B E W B I O S N L N
```

156

```
T T J K W B K K C D K T E
C V G A H E Y D O C Z H T
K N A T S N R O Q O A G D
O O D O P A K D S O T U W
Q T N E W R E D N U S A U
U H W B V Z E N T S C N O
Y E N E Q O I P R U D N O
J R O W R W R E Y D L L B
S T U C K G N D I W E R E
K E J O G A X A S R H O I
A N F L A I P M A H L U M
D G E E D E L N O S T H M
Y F C W R U G E I E T I W O
T N E P S R E V O E W O B
E N I V I V Z T A R B N C
```